Spooktocht in het donker

Ook van Hans Kuyper

Fleur 5+
Fleur heeft een dikke papa
Fleur heeft het kleinste tentje
Fleur heeft de liefste juf

Merel en Melle 8-10
Het geheim van het Kruitpaleis
Gered door de honden
Jacht op de tekenaar (augustus 2010)

Het geheim van kamer 13 8-10
Kat in 't bakkie, rijmen is een makkie

De fluisteraars 10+
De fluisterkelders
Walviseiland
Woud van de wind
Operatie Noorderlicht

Ik had je zo lief 12+
Je bent van mij! 12+ (met Maren Stoffels)

www.hanskuyper.eu
hanskuyper@hotmail.com

Hans Kuyper

Spooktocht in het donker

Tekeningen Mark Janssen

Leopold / Amsterdam

De Nederlandse Kinderjury 2011

®CPNB

Eerste druk 2010

Omslagontwerp: Hannah Weis

Omslag en illustraties: Mark Janssen

Uitgeverij Leopold, Amsterdam / www.leopold.nl

ISBN 978 90 258 5616 8 / NUR 282

Uitgeverij Leopold drukt haar boeken op papier met het FSC-keurmerk. Zo helpen we waardevolle oerbossen te behouden.

Inhoud

Terschelling

'Kijk, zeehonden!' roept Merel. 'Daar! Op die zandplaat!' Ze wijst in de verte.

De andere kinderen van de klas komen meteen naast haar aan de reling staan, haar tweelingbroer Melle voorop. Hij houdt zijn hand boven zijn ogen als een indiaan en tuurt naar de donkere vlekken.

'Welnee,' zegt Melle. 'Dat zijn gewoon hoopjes troep. Van een boot gevallen of zoiets.'

'Ik heb anders nog nooit een hoopje troep over het zand zien hobbelen,' zegt Merel boos.

'Merel heeft gelijk,' zegt juf Simone. 'Het zijn zeehonden.'

Merel steekt haar tong uit, maar Melle ziet het niet.

'Zo klein,' zegt hij teleurgesteld.

'Misschien komen we nog dichterbij,' zegt Merel. 'De zandplaat is vlak bij het eiland.'

Juf Simone schudt haar hoofd.

'Maar dat is het verkeerde eiland,' zegt ze. 'Dat is Vlieland. Wij moeten straks naar rechts.'

Het is net alsof de veerboot haar gehoord heeft, want hij maakt meteen een grote draai. De zeehonden verdwijnen uit het zicht. Merel ziet nu een kleine haven met een enorme vuurtoren erboven.

'De Brandaris,' zegt juf Simone. 'Ik word altijd weer blij als ik dat lelijke ding zie.'

‘En kijk die boot ’s!’ roept Emre, die maar net met zijn neus boven de reling uit komt.

Hij wijst naar een zilvergrijs plezierjacht dat met enorme snelheid komt aanvaren, de boeg hoog uit het water.

‘Nog even sparen, Emre!’ roept Wouter.

‘En waar is Kamp Hee?’ vraagt Merel.

‘Dat kun je niet zien,’ zegt juf Simone. ‘Kijk, daar is de jachthaven. En daar voorbij, bij dat grote gat in de bosrand, ligt Halfweg. Hee is nog een kilometertje verder. We moeten bijna een uur lopen voor we er zijn.’

‘Een uur lopen,’ moppert Melle. ‘Hebben ze geen auto’s op dat eiland?’

‘Zeur niet!’ roept Merel. ‘Het is lekker weer. Ik wil best een stuk lopen.’

‘Ik ook,’ zegt Roos, en ze geeft Merel een arm. ‘Gaan we lekker samen. Want ik heb je een heleboel te vertellen...’

Merel kijkt Roos aan. Ja, het zal wel. Roos heeft vast weer allemaal verhalen klaar. En of het allemaal waar is, weet Merel nooit zeker. Maar saai is Roos nooit.

‘Jongens, allemaal naar het benedendek. We gaan zo aan land,’ roept juf Simone, en ze begint meteen te tellen: ‘Even kijken, acht, veertien, achttien, drieëntwintig... Drieëntwintig. Wie mis ik?’

Merel kijkt om zich heen. Ze mist niemand. Wouter staat met Melle al onder aan de trap, bij de grote deuren. De rest van de klas klit daaromheen. Van Emre ziet ze alleen zijn kuifje. Een heel vrolijk kuifje. Roos hangt nog aan haar arm. Wie is er dan weg?

‘Jessica,’ zegt juf Simone. ‘Waar is Jessica?’

'Altijd dezelfde,' zegt Melle luid. 'Aanstelster.'

Juf Simone antwoordt niet. Ze loopt de trap naar het bovendek op en kijkt zoekend om zich heen.

'Jessica?' roept ze. 'Waar ben je?'

'Ze is hier, juf!' roept Roos. 'Ze speelt verstoppertje. Maar haar voeten doen niet mee.'

Ze wijst naar een grote, witte bank op het bovendek. Jessica's voeten steken erachter vandaan. En nu verschijnt ook haar hoofd boven de rugleuning uit. Het lijkt wel alsof ze gehuild heeft.

Roos trekt Merel dichter tegen zich aan.

'Zie je dat?' fluistert ze. 'Haar ouders zijn uit elkaar. Daarom doet ze zo.'

'Hoe weet jij dat?' vraagt Merel.

Jessica zit nog maar kort in de klas. Merel weet bijna niets van haar. Ze wist zelfs niet dat haar ouders uit elkaar waren. Maar moet je daarom achter een bank gaan liggen?

'Ik heb gehoord...' begint Roos geheimzinnig.

Maar dan glijden net de grote, witte deuren open. Frisse zeelucht stroomt de boot in. Roos is meteen verdwenen, de rest van de klas achterna. Gillend rennen ze de loopbrug af. Merel wil eerst nog even kijken.

Aan haar voeten ligt de haven van Terschelling te trillen in de hitte. Het zonlicht brandt op de daken van de kleine huizen. Ze lijken wel in brand te staan, zo fel rood zijn ze. De muren eronder zijn mooi geel.

'Leuk, hè,' zegt juf Simone. 'Ik vind die huisjes altijd net klaprozen tussen verdord gras. Kom dames, we gaan van boord.'

Dan gaan ze de klas achterna. Jessica loopt vlak voor Merel. Haar ogen zijn nog steeds een beetje vochtig en ze blijft heel dicht bij juf Simone. Zou ze bang zijn? Merel durft het niet goed te vragen. Misschien schaamt Jessica zich wel. Als je je ergens voor schaamt, wil je er meestal niet over praten. Merel haalt diep adem. Ze tikt Jessica op haar schouder.

'Gaat het?' vraagt ze.

Jessica knikt. Maar ze vertelt niets.

Zie je wel.

Naar Kamp Hee

De bagage gaat op een grote kar met een tractor ervoor. Het is lekker om te wandelen zonder zware rugzak aan je schouders. De weg voert eerst door een dorpje en dan door een heerlijk koel bos. Af en toe staan er wegwijzers. Wat een rare namen!

'Koekoekspaal,' leest Merel. 'Griene Polle.'

'Of deze,' zegt Melle. 'Doodemanskisten... Wil je daar niet eens lekker in gaan liggen, zusje?'

'Lijkt me heerlijk met dit weer,' zegt juf Simone. 'Dodemanskisten is namelijk een meertje.'

'Er is ook een meertje bij het kamp, toch?' vraagt Merel.

Gauw over iets anders beginnen, denkt ze. Ze kijkt even naar Jessica. Als die echt zo bang is, moet je geen grapjes over een doodskist gaan maken. Ook al is het eigenlijk een meertje.

'Ja,' zegt juf Simone. 'Met een lekker breed strand en een vlot en heel veel vogels en een uitkijktoren... Je zult het wel zien. Kom, we gaan hier rechtsaf.'

Nu lopen ze over een fietspad en dat is niet handig. Er wordt heel wat gebeld en geroepen. Sommige fietsers schelden de klas zelfs uit.

'Ha, heerlijk,' zegt juf Simone. 'Vakantie. Rust. Ontspanning.'

Maar dan komen ze bij een weggetje van gras. Dat slaan ze in en een stukje verder vinden ze een karrenspoor. Juf Simone steekt haar hand op.

‘Hier gaan we naar links,’ zegt ze. ‘Het kamp ligt tweehonderd meter verderop. Ik tel tot drie en dan rennen we erheen. Wie als laatste aankomt, moet op chips trakteren.’

De hele klas wordt zenuwachtig. Een paar jongens gaan op handen en voeten klaar zitten, zoals echte hardlopers bij de start. Melle doet dat natuurlijk ook. De aansteller!

‘Eén!’ roept juf Simone. ‘Twee! Tweeënhalf. Tweedriekwart...’

‘We hebben deze week geen rekenen!’ brult Wouter.

‘Tweevijfachtste. Tweenegenzestiende... Ach, laat ook maar. Drie!’ roept juf Simone.

De hele klas stuift ervandoor. Merel ook, ze rent zo hard ze kan. Een paar kinderen zijn sneller dan zij, maar ze is gelukkig lang niet de laatste. En dat komt goed uit. Ze heeft niet genoeg geld om iedereen te trakteren.

Nog even... Daar is het hek, daar ziet ze de blokhutten. Juf Marion en juf Marjan staan al te lachen voor de grootste hut. Die zijn op hun gemakje met de bagagekar meegereden.

Merel tikt de muur van de grote hut aan. Binnen! En niet als laatste. Hijgend laat ze zich in het gras vallen en kijkt naar het hek.

Daar komt Tom, met zijn spillepoten. En daar is Roos. En vlak daarachter Emre. Hij heeft een knalrood hoofd. Emre is de kleinste van de klas en dus heeft hij de kortste benen. Dan is rennen ook niet zo makkelijk. En hij lacht er zelf om. Wat leuk is hij toch... Maar zelfs Emre is niet de laatste.

De laatste is Jessica.

Ze komt langzaam aangewandeld. Alsof er geen wedstrijd is. Alsof ze niet goed begrijpt wat er gebeurt. En ze ziet er heel erg eenzaam uit.

Merel voelt opeens een brok in haar keel. Juist Jessica! Jessica, die op de boot al moest huilen. Jessica, met haar gescheiden vader en moeder... Als het verhaal van Roos waar is, tenminste. Maar zelfs als het níet waar is...

Het is niet eerlijk. Merel schaamt zich opeens. Als Jessica een probleem heeft, moet ze geholpen worden. Ook al praat ze er niet over. En ook al is ze net nieuw in de klas. Helpen moet gewoon. Merel weet het heel zeker. Ze had op Jessica moeten wachten! Dan waren ze samen het laatst geweest...

Merel staat op en loopt naar Jessica toe. Ze wil net iets zeggen als er een enorme kartonnen doos verschijnt. Een kartonnen doos op pootjes, bij het hek. En de doos kan praten ook.

'Wie helpt me uitdelen?' zegt de doos, met de stem van juf Simone.

De doos ploft in het gras. Wouter en Melle duiken er meteen bovenop. Ze halen armenvol zakjes chips tevoorschijn. Juf Simone staat erbij te lachen.

'Ik ben elk jaar de laatste,' zegt ze. 'Maar dat kan ook niet anders als je zo'n grote doos chips moet meesjouwen!'

Thuis hebben Merel en Melle samen een kamer, en op vakanties liggen ze soms zelfs in één bed. Maar dit is een schoolkamp, en dan moeten de meiden en de jongens apart. Ook wel eens leuk, vindt Merel.

In elke blokhut staan vijf stapelbedden, dus er kunnen

wel tien mensen slapen. Maar de klas is niet zo groot; er blijven heel wat plaatsen over. Merel wordt bij Roos en Kylie ingedeeld. En bij Jessica. Zo'n grote hut met z'n viertjes!

'Ik ga bij het raam,' zegt Kylie. 'Want als ik geen frisse lucht krijg, ga ik snurken.'

'Je wilt gewoon uitzicht op de blokhut van de jongens,' roept Roos.

Kylie krijgt een kleur. Maar ze legt haar spullen toch op het bed bij het raam.

Merel vindt het best. Ze heeft allang gezien dat helemaal achterin nog een hoog raampje is. Dat wordt haar plek.

'Waar ga jij, Jes?' vraagt ze.

Jessica haalt haar schouders op.

'Niet bij de deur,' zegt ze zacht.

'Dan kom je naast mij,' zegt Merel. 'Ook in het bovenste bed. Kunnen we lekker kletsen.'

'In deze hut wordt niet gekletst,' roept Roos. 'Ik hou van rust!'

'Je kletst zelf het meest van allemaal!' roept Kylie.

'Jongensgek,' zegt Roos kwaad.

'Babbelkont,' doet Kylie terug.

'O, wat gezellig,' zegt Merel en ze lacht.

Ze ziet zowaar Jessica's lippen een beetje omhoog krullen. Goed zo. Jessica weet het dus ook:

Het kamp is nu pas écht begonnen.

En het kamp wordt leuk.

Op het pad bij het meertje

Het is zo heet dat zelfs juf Simone een korte broek heeft aangetrokken. Het knopje in haar neus schittert in de zon. Ze staat op een wankel tafeltje voor de grote eetzaal. De kinderen zitten om haar heen in het gras.

'Luister even!' roept juf Simone. 'Eigenlijk zouden we vanmiddag naar Midsland gaan om cadeautjes voor thuis te kopen. Maar dat is geen doen. Het is veel te warm. Daarom draaien we het programma om. We gaan vandaag lekker zwemmen. Iets anders kan ik niet verzinnen. Dan gaan we morgen wel shoppen.'

'Hoera,' zegt Wouter mat.

Hij is de enige. Het is gewoon te heet om te praten.

'Dus allemaal je zwemspullen halen,' gaat juf Simone verder. 'Over vijf minuten gaan we naar het duinmeer. Begrepen?'

'Nee...' zucht Melle. 'Veel te ingewikkeld in die hitte.'

'Ik zal jou straks eens lekker onderduwen,' zegt juf Simone.

En dan stort de tafel in.

Juf Simone gilt en maait met haar armen in het rond. Gelukkig staat juf Marion vlakbij. Ze kan juf Simone nog net opvangen. Met z'n tweeën rollen ze door het gras. Bij de voeten van Jessica liggen ze stil. En ze gieren van het lachen.

'Niks gebroken?' vraagt juf Marjan.

'Alleen de tafel,' giechelt juf Simone, terwijl ze voorzichtig overeind komt. 'Nou, ik heb de eerste duik al genomen. Kom op jongens, haal je spullen. Wie het laatste terug is...'

'Trakteert op chips,' mompelt de klas.

'Moet een nieuwe tafel kopen,' zegt juf Simone.

Het duinmeer is zo vlak als het zeil op de vloer van een klaslokaal op school. Alsof het water het óók warm heeft, te warm om zelfs maar een beetje te rimpelen. Merel legt haar handdoek naast die van Jessica. Roos komt aan de andere kant liggen.

Kylie zit een eind verderop, heel erg dicht bij Wouter en Melle. Zou ze het aan willen met een van die twee? En met wie dan? Merel hoopt maar dat het Wouter wordt. Stel je voor dat Kylie het hele kamp rond haar broertje gaat hangen! Het is al erg genoeg dat ze samen in een blokhut slapen...

'Zie je dat,' fluistert ze tegen Jessica.

'Ze is op Wouter,' zegt Roos. 'Dat heeft ze gezegd.'

'Gelijk heeft ze,' zegt Merel opgelucht.

Maar toch rent Kylie nu met Melle naar het meertje. Wouter blijft liggen zonnen. Hij heeft zich niet ingesmeerd en zijn schouders beginnen al rood te worden.

'Zie je wel,' zegt Roos. 'Ze gaat met Melle zwemmen. Dus ze is op Wouter.'

Daar begrijpt Merel niets van. Roos moet het haar uitleggen.

'Je moet een jongen toch jaloers maken,' zegt ze. 'Jij weet ook niks.'

Merel kijkt naar Kylie en Melle. Ze zijn naar het vlot gezwommen en klimmen er met veel geplons bovenop. Zou Melle dat weten? denkt Merel. Zou hij begrijpen dat Kylie hem alleen maar gebruikt? Misschien is hij zelf wél verliefd op haar. Misschien moet ik hem waarschuwen...

Maar misschien ook niet. Merel kijkt naar Emre, die ook al in het water is. Zijn leuke kuif hangt slap op zijn voorhoofd. Het water komt bijna tot zijn kin. Zou het leuk zijn om met hem te zwemmen? En hoe moet je zoiets vragen? Want gewoon bij hem gaan zitten, zoals Kylie bij Wouter en Melle – dat durft Merel niet.

'Ik ga plassen,' zegt Roos.

'En waar dan?' vraagt Merel. 'Er is niemand in het kamp.'

'Dan ga ik in de bosjes. Ik had het kamp toch niet gehaald, want ik doe het zowat in mijn broek. Ga je mee? Mag je op de uitkijk staan.'

Merel loopt met Roos mee. Het duinmeer is niet zo groot. Over de rechteroever loopt een paadje met dichte struiken erlangs. Als je daartussen gaat zitten, kan niemand je zien.

'Blijf op het pad,' zegt Roos. 'En waarschuw me als er iemand komt.'

Ze verdwijnt tussen de struiken. Merel kijkt om zich heen. Lekker koel is het hier, in de schaduw van de bomen. En lekker stil. Iedereen is bij het water. Of een eind verderop, aan het strand.

Of nee, toch niet iedereen. Er verschijnt opeens een man op het pad. Merel schrikt ervan. Ze klapt in haar handen.

‘Roos!’ fluistert ze. ‘Een kerel!’

‘Ik ben al klaar,’ fluistert Roos terug.

Net als de man bij Merel aankomt, stapt Roos de struiken uit.

‘Verstoppertje?’ vraagt de man met een lach.

‘Plassen,’ zegt Roos brutaal.

De man lacht alweer.

‘Ja, dat moet ook gebeuren. Zijn jullie soms van het kamp hier verderop?’

‘Ja,’ zegt Roos. ‘We zijn hier met school. Groep zeven en acht.’

‘En welke school is dat dan?’

‘De Beatrixschool,’ zegt Roos. ‘Uit Zuideroog.’

Merel begrijpt niet dat Roos dat zomaar vertelt. Ze kennen deze man toch helemaal niet? Hij ziet er wel aardig uit, maar je weet het nooit. Misschien is het een kinderlokker. Merel trapt Roos op haar tenen, maar die gaat gewoon door met babbelen. Zoals altijd.

‘We blijven de hele week,’ zegt ze. ‘En we gaan wadlopen, en shoppen, en een spooktocht doen…’

‘Gezellig met z’n allen,’ zegt de man. ‘Groep zeven en acht. Leuk, hoor. En iedereen is mee?’

Dat is écht een vreemde vraag. En Roos heeft het nu ook door, gelukkig.

‘Hoezo?’ vraagt ze.

‘Nou ja, soms mag een kind niet, van haar moeder. Of vader natuurlijk. Of er is iemand ziek…’

‘Niemand is ziek,’ zegt Roos.

‘En nu gaan we zwemmen,’ vult Merel aan.

Ze schrikt van haar eigen stem. Zo hoog en hard! Dat

komt door die man. Hij lacht heel vriendelijk, maar er is iets niet in orde. Hij wil veel te veel weten.

'Veel plezier nog,' zegt de man en hij loopt weer door.

Merel kijkt hem na. Hij wandelt rustig verder. Een gewone man die een ommetje maakt. Zo lijkt het. En toch vertrouwt Merel hem niet.

'Kom,' fluistert ze. 'Kijken waar hij heen gaat...'

'Ben je gek?' fluistert Roos terug.

De achtervolging

Merel is al vertrokken. Voorzichtig sluipt ze langs de struiken, klaar om weg te duiken als de man omkijkt.

Maar dat doet hij niet. Hij loopt helemaal naar de andere kant van het meertje. Daar is een smalle asfaltweg. Die steekt de man over en hij verdwijnt door een hek en tussen de caravans daarachter. Naast het hek staat een bord: *Camping De Kooi*.

Daar loopt het spoor dus dood. Ze mogen geen campings op. Dat staat heel groot in de regels van het kamp. Wie op een camping komt, kan zelfs naar huis gestuurd worden.

'Gewoon iemand van de camping,' zegt Roos, achter haar. 'Niks bijzonders.'

Ze lopen samen terug.

'Moeten we het aan juf Simone vertellen?' vraagt Merel.

'Wat moeten we vertellen?'

'Nou, van die man. En dat hij ons probeerde uit te horen.'

Roos denkt even na.

'Nee,' zegt ze dan. 'Want dan gaat ze natuurlijk vragen wat we op dat pad deden. En dan moet ik zeggen dat ik ging plassen.'

'Nou en!' zegt Merel. 'Dat zei je toch ook tegen die kerel?'

'Dat telt niet,' zegt Roos. 'Die ken ik niet.'

Merel kijkt Roos aan. Is dat nou een grapje, of meent ze het echt?

'Tegen vreemde mensen kun je alles zeggen,' zegt Roos. 'Die zie je toch nooit meer.'

Merel denkt erover na. Wat een rare ideeën heeft Roos soms toch. Af en toe begrijpt Merel er helemaal niets van. Maar Roos is in elk geval nooit saai.

Ze zijn bijna terug op het strandje. Tussen de bomen door kunnen ze de klas zien. Iedereen zwemt en stoeit rond het vlot. Het meertje lijkt helemaal niet meer op een spiegel! Het is nu net een zee bij zware storm. En het vlot lijkt een schip dat vergaat. Alle hens aan dek!

'Is Jessica er ook bij?' vraagt Merel.

'Ik zie haar niet,' zegt Roos. 'Misschien heeft ze op ons gewacht. Kom, dan gaan we haar halen. Ik heb het ontzettend warm gekregen van die achtervolging, mevrouw de detective!'

Maar als ze op het strand komen, is Jessica's handdoek weg. En Jessica zelf ook.

'Ze voelde zich niet zo lekker,' zegt juf Simone. 'Ze is even op bed gaan liggen. Juf Marion is met haar mee. Ga maar fijn zwemmen.'

Niet zo lekker? denkt Merel. Zou Jessica echt niet zo lekker zijn? Of is ze weer bang?

Merel kijkt naar het meertje. Emre wordt onder water geduwd door Wouter. Dat is ook niet zo heel moeilijk. Merel zucht. Het zou het makkelijkst zijn als Emre zelf naar haar toe zou komen. Dat hij haar zou vragen om met hem te gaan zwemmen.

Zou ze dan zomaar ja zeggen? Durft ze dat dan wél? Misschien. En misschien niet.

Merel zucht. Ze probeert Emre te lokken met haar ogen. Ze heeft wel eens gelezen dat dit kan. Als je heel lang naar iemand kijkt, kijkt hij vanzelf een keer terug. Het werkt altijd.

Maar bij Emre werkt het niet.

Ontmoeting in Midsland

Je gaat van Hee langs Horp en Kaart, dan kom je langs Kinnum in de verte bij de dijk, vervolgens Baaiduinen en dan ben je in Midsland. Dat hele eiland Terschelling lijkt wel een sprookjesboek van heel lang geleden, denkt Merel. Al die rare namen! Ze wordt er vrolijk van, een beetje giechelig zelfs.

'Het dorp Horp,' zegt ze. 'Het daart Kaart. Het dinnum Kinnum.'

'Pardon?' vraagt Melle.

Hij is met Merel meegegaan, zodat ze samen iets voor hun ouders kunnen uitzoeken. En toen moest Kylie meteen ook mee. Zou Roos het dan toch verkeerd hebben? Sinds gistermiddag, aan het duinmeertje, is Kylie alleen nog maar bij Melle in de buurt gebleven. Wouter interesseert haar geen snars. Merel is er niet blij mee.

Juf Simone vond het juist goed.

'Als je ergens heen gaat, dan altijd met z'n drieën,' zei ze. 'Dat zijn de regels van het kamp.'

Merel vindt het drie keer niks. Nou loopt ze hier met die stomme Kylie. Gelukkig praat ze niet al te veel. Maar vervelend blijft het.

Want nu kan Merel ook niet met haar broertje over Jessica praten. En dat wil ze al de hele dag. Er is iets niet goed met Jessica en Merel heeft medelijden met haar. Ze heeft alleen geen idee wat ze eraan kan doen. Jessica is nog maar

een paar weken op school. Merel kent haar bijna niet. Dus hoe moet ze helpen?

Dat soort dingen had ze met Melle willen bespreken. Maar op het kamp is het altijd druk. En nu, met die tuttebel erbij, kan het weer niet.

'Het dorp Horp,' zegt Merel nog maar een keer. 'Het dorp Horp ligt op een steenworp... Van het daart Kaart.'

'En daar koop je taart,' zegt Melle met een grijns.

'Maar in het dinnum Kinnum...' begint Merel.

Dat is een lastige. *Kinnum*, *Kinnum*, *Kinnum*, zoemt het door haar hoofd. *Maar in het dinnum Kinnum...*

'Kunnen ze niet rijmen!' roept Melle.

Hij moet er zelf het hardst om lachen, maar Merel lacht ook. Het is een goeie grap. Misschien kunnen ze dit versje wel op de laatste avond doen, als iedereen moet optreden.

'Wat is er nou zo grappig?' vraagt Kylie.

Merel is meteen stil. Kylie snapt het niet. Nou ja, dat was ook niet te verwachten. Kylie snapt nooit iets. Zelfs niet dat ze vanmiddag beter in het kamp had kunnen blijven.

Emre had er vast wél om gelachen.

'Jouw neus,' zegt Merel. 'Die is grappig.'

'Mijn neus? Hoezo?'

Merel zucht en kijkt naar Melle. Die grijnst terug en geeft een knipoog.

Mooi zo en heel goed. Tussen hem en Kylie wordt het nooit wat.

Langs de benzinepomp lopen ze Midsland in. Dit is een wat groter dorp waar ook winkels zijn. Juf Simone heeft

verteld dat er vlak bij de kerk een leuk winkeltje is waar je fopspullen en cadeaus kunt kopen.

Emre is er ook, ziet Merel. Hij loopt in een groepje met Roos en Wouter. Merel zou best met Roos willen ruilen. En Melle met Wouter, waarschijnlijk. Roos zwaait, maar ze komt niet naar Merel toe.

'Ik denk dat ik een nepdrol koop,' zegt Melle. 'Dan leg ik die vannacht voor de blokhut van de juffen.'

'Getsie,' zegt Kylie.

'Precies,' zegt Melle.

'En wat kopen we voor papa?'

'Draculatanden,' zegt Melle. 'Dan kan hij mama bijten en dan blijven ze eeuwig leven.'

'Dat is raar,' zegt Kylie.

'Nee, dat is lief,' zegt Merel.

Want dat is het ook. Maar het is het soort van lief dat tuthola's als Kylie nooit en nooit en nooit zullen begrijpen.

Ze vinden het winkeltje makkelijk. En de nepdrollen en draculatanden vinden ze ook, maar die kopen ze niet. Merel ziet iets beters: een beeldje van een jong zeehondje voor mama en een koffiemok met de Brandaris erop voor papa.

'Of deze!' roept Melle.

Hij houdt een tegeltje omhoog. Er staat met blauwe letters op geschreven: *Je hoeft niet aan de boom te hangen om een eikel te zijn*. Melle gilt van het lachen. Hij moet zelfs zijn bril afzetten om de tranen uit zijn ogen te vegen.

'Kan hij op z'n kantoor aan de muur schroeven!' roept hij.

‘Jullie zijn gek,’ zegt Kylie.

Mooi, denkt Merel. Dat begrijpt ze dus wél. En als ze dat denkt, laat ze Melle voortaan met rust. Want Kylies houden niet van gekke Melles.

Ze loopt naar de toonbank om af te rekenen.

‘Zitten jullie op Kamp Hee?’ vraagt de vrouw bij de kassa.

‘Ja,’ zegt een bekende mannenstem achter Merel. ‘En ze komen van de Beatrixschool in Zuideroog.’

Merel verstijft. Snel kijkt ze om zich heen. Melle is al naar buiten gegaan en Kylie dus ook. Dom hondje achter hem aan. Merel draait zich om.

De man lacht weer vriendelijk. Té vriendelijk... Hij draagt een knalgeel T-shirt waar *Brasil* op staat. Vast iets van voetbal.

‘Is je vriendin niet mee?’ vraagt hij.

Merel schudt haar hoofd. Ze loopt snel naar de deur. Zo vlug mogelijk weg, ver bij die engerd vandaan.

‘Je vergeet je cadeautjes!’ roept de vrouw van de winkel.

O, lekker. Moet ze nog een keer terug.

Snel haalt Merel de tas op. Als ze weer weg wil lopen, pakt de man haar bij een arm.

‘Niet zo snel,’ zegt hij. ‘Ik heb nog een cadeau voor je.’

Hij laat een plastic zakje met draculatanden in de tas vallen.

‘Voor de spooktocht,’ zegt hij. ‘Wanneer is die eigenlijk?’

‘Vanavond,’ flapt Merel eruit.

De man glimlacht weer. Hij laat Merel los.

‘Veel plezier dan,’ zegt hij, en hij legt wat spullen op de toonbank.

Wat zijn dat? Merel wil het niet weten, maar ze kijkt toch. Iets van stof… Een handdoek. En een onderbroek.

Een roze handdoek en een roze onderbroekje.

Merel wordt opeens misselijk en ze weet niet waarom. Ze rent de winkel uit. Wat heeft ze gedaan? Wat heeft ze gezegd?

En waar is Melle?

Door de polder

Daar is Melle, op het muurtje rond de kerk. Met de vreselijke Kylie naast zich en een groene afvalbak aan de andere kant. Haar broertje tussen twee bergen waardeloze troep.

Dat komt goed uit. Merel loopt naar de kerk en gooit onderweg meteen de draculatanden in de bak. De echte bak. De groene bak. Ze voelt zich meteen beter.

'Wat was dat?' vraagt Melle.

'Niks,' zegt Merel snel.

Dan trekt ze Melle aan zijn arm naar zich toe.

'Ik moet met je praten,' fluistert ze in zijn oor. 'Alleen. Zonder die troela erbij.'

Melle kijkt haar onderzoekend aan. Ze knikt nog maar eens een keer. Melle knikt terug. Hopelijk heeft hij aan haar stem gehoord dat het belangrijk is. Hij kent haar het best van iedereen op de hele wereld, tenslotte.

'Kom, we gaan ijs halen in de supermarkt,' zegt Melle.

'O lekker,' zegt Kylie. 'IJs.'

De supermarkt is op de andere hoek van het plein. Het is er druk; allemaal mensen met roodverbrande hoofden en zweterig haar.

Vlak voor de ingang laat Melle zich op een knie zakken. Hij prutst wat aan zijn schoen – waar helemaal niks mis mee lijkt te zijn.

'Even m'n veters strikken,' zegt hij. 'Gaan jullie maar vast.'

Merel grijnst en kijkt naar Kylie. Die heeft niks door. Ze loopt meteen de winkel in en let niet op of Merel haar wel volgt. Bijna meteen is ze in de plakkerige mensenmassa verdwenen.

'Nu!' roept Melle.

Ze rennen over een rechte straat die door de weilanden naar het noorden voert. Expres niet de weg naar Hee, maar een heel andere kant op. Stel je voor dat Kylie hen inhaalt! In de weilanden staan schapen met lammetjes. Een groepje van die wollige pluisjes rent aan de andere kant van de sloot met hen mee.

'Gemeen is het wel,' hijgt Melle. 'Als ze maar niet verdwaalt, alleen.'

'O vast,' roept Merel. 'Die verdwaalt nog in haar eigen kamer.'

Melle lacht. Hij stopt met rennen. De voorste lammetjes doen dat ook, maar de achterste hebben het niet door. Ze duikelen over elkaar heen en rollen bijna in de sloot. Verbaasd staan ze nog even met hun kopjes te schudden en rennen dan terug, op zoek naar hun moeders. Merel moet erom lachen.

'Wat was er nou?' vraagt Melle dan.

O ja. Er was iets...

'Ik heb een man gezien,' zegt Merel.

Terwijl ze rustig doorwandelen, vertelt ze het hele verhaal. Over Roos tussen de struiken en de achtervolging naar de camping. En over de ontmoeting van daarnet, in het winkeltje.

'En weet je wat hij kocht?' vraagt ze.

‘Draculatanden,’ zegt Melle. ‘Die heb je weggegooid.’

‘Dat was niet alles. Hij kocht ook een handdoek en meisjesondergoed. Een roze broekje…’

Ze moet rillen als ze eraan terugdenkt. Maar Melle begint te lachen.

‘Dat is toch niet zo raar,’ zegt hij. ‘Misschien is hij hier gewoon met zijn vrouw en zijn dochter. En die dochter heeft een ongelukje gehad. Net zoals Roos bijna, gisteren.’

‘En waar was die dochter dan?’ vraagt Merel. ‘Ik heb geen dochter gezien. Gisteren niet en vandaag niet.’

‘Ergens op een wc natuurlijk,’ zegt Melle. ‘Met een rooie kop. Je loopt toch niet met je piesbroek aan een winkel in!’

Merel denkt na. Het kán. Misschien heeft Melle gelijk. Het kan allemaal toeval zijn. Misschien is er helemaal niets aan de hand. Maar ze vertrouwt het niet.

‘Ik ga alles aan juf Simone vertellen,’ zegt ze.

‘Dan moet je er eerst achterkomen waar juf Simone ís,’ zegt Melle. ‘Want volgens mij zijn we verdwaald.’

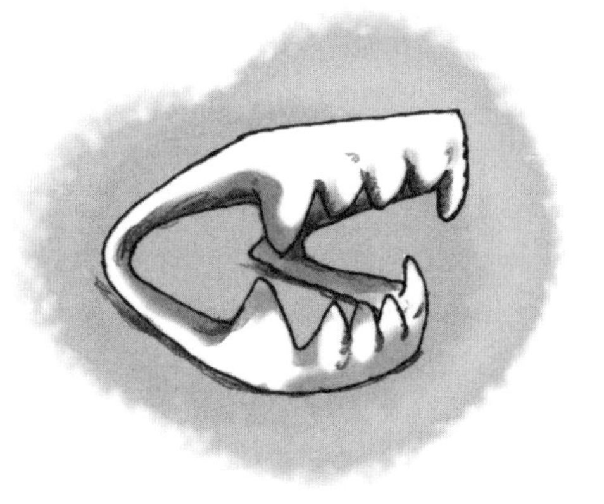

Op Arjensdune

De weg is lang en recht. En heet. Links en rechts zijn weilanden vol schapen. Merel en Melle lopen op het fietspad. En ze weten niet waar ze zijn.

'We moeten het aan iemand vragen,' zegt Merel.

'In elk geval moeten we ergens naar links,' wijst Melle. 'Hee ligt ten westen van hier.'

'Als je het vraagt, weet je het zeker,' houdt Merel vol.

Verderop staan wat huizen bij elkaar. Er is ook een café met een terras. Daarachter beginnen de duinen.

'Kom op,' zegt Merel.

'Wat raar,' zegt Melle. 'Moet je dat café zien. Alsof het al herfst is!'

Merel ziet wat hij bedoelt. De muren van het café zijn begroeid met klimplanten. Maar alle blaadjes zijn oranje, zoals de wingerd in hun eigen tuin in oktober. Het is een vreemd gezicht, midden in de zomer.

'Misschien zijn die planten dood,' zegt Merel.

Maar als ze dichterbij komen, zien ze dat het helemaal geen klimplanten zijn. Het zijn schoenen! Het hele café is volgeplakt met schoenen, duizenden schoenen, en ze zijn allemaal oranje gespoten. Merel schiet in de lach.

'Daar heeft Sinterklaas straks behoorlijk veel werk aan,' zegt Melle. 'Als in al die schoenen een cadeautje moet...'

'Wat een hebberige mensen,' zegt Merel.

Op het terras zitten een paar fietsers met een kaart van

het eiland. Dat komt mooi uit. Merel en Melle steken de straat over.

'Hallo,' zegt Merel. 'Mogen wij misschien even op de kaart kijken? We moeten naar Hee en we zijn verdwaald.'

'Wie biete?' vraagt een van de fietsers.

'Duitsers,' fluistert Melle.

'Kamp Hee,' zegt Merel, een beetje harder. 'We moeten naar Kamp Hee.'

'Kamp Hee,' herhaalt de fietser. Hij draait de kaart naar Merel toe.

Even kijken. Daar is de haven, daar loopt de weg. Daar ligt Halfweg, en daar is Hee. Maar goed, waar zijn ze nu? Merel kijkt om zich heen.

'Waar zijn we?' vraagt ze aan de fietser.

Dat lijkt hij te begrijpen, want hij wijst op de kaart.

'Midsland Noord,' leest Melle. 'En kijk, als we dat fietspad langs de duinen volgen, komen we vanzelf bij ons duinmeertje uit.'

'Dank u wel,' zegt Merel.

'Kein dank,' zegt de fietser. 'Auf wiederseen.'

'Auf wiener schnitzel!' zegt Melle.

Het is druk op het fietspad, maar ze schieten flink op. Na een minuut of twintig zien ze een grote uitkijktoren op een duin staan. Er loopt een paadje naartoe.

'Hier ben ik gisteren al op geweest, met Wouter en Emre,' zegt Melle. 'Je kunt een heel eind kijken. Kamp Hee kun je ook zien.'

Met Emre, denkt Merel. Waarom heb je mij niet meegevraagd? Maar ze laat niets merken.

'Hebben we nog tijd?' vraagt ze.

Melle kijkt op zijn horloge.

'We zijn al te laat,' zegt hij. 'Het is kwart over vijf en we moesten om vijf uur terug zijn. Dus maakt het niet meer uit.'

Merel loopt naar de toren. Er hangt een bordje aan. *Arjensdune*, leest ze. Merel klimt naar boven. Ze kan inderdaad heel ver kijken, van de grijze Waddenzee in het zuiden tot de blauwe Noordzee achter de duinen. Aan haar voeten ligt het zwemmeertje en iets verderop, tussen de bomen, ziet ze Kamp Hee.

En als ze een beetje verder naar links kijkt, ziet ze nog iets anders. Tussen de tenten en caravans van camping De Kooi loopt een man. Een man in een knalgeel T-shirt...

'Dat is 'm,' sist Merel, en ze wijst.

'Die in dat Braziliaanse shirt?' vraagt Melle. 'Nou, dan heeft hij in elk geval verstand van voetbal.'

Merel knijpt haar ogen tot spleetjes om het beter te kunnen zien. Dat helpt echt. Vreemd eigenlijk... De man heeft de tas uit de fopwinkel nog in zijn hand. Hij verdwijnt achter een caravan.

'Hij is weg,' zegt Merel.

'Misschien is dat zijn caravan,' zegt Melle. 'Zie je wel, met vrouw en dochter op vakantie.'

'Nee!' roept Merel. 'Daar is hij weer!'

De man steekt een grasveld over en blijft staan bij een kleine tent. Daar bukt hij zich en trekt de rits open. Hij kruipt naar binnen.

'Niks vrouw en dochter,' fluistert Merel. 'Dat tentje is veel te klein. Daar past niemand meer bij... Hij is alleen!'

Ze huivert. Ze denkt aan het onderbroekje. Ook Melle heeft nu niets meer te zeggen.

‘We moeten het echt aan juf Simone vertellen,’ zegt Merel.

Melle knikt.

‘Laten we dan maar meteen gaan,’ zegt hij.

Straf

Juf Simone wil helemaal niets horen.

'Veel te laat!' roept ze boos. 'En jullie hebben Kylie alleen gelaten. Dat is tegen álle regels van het kamp.'

'We hebben haar niet alleen gelaten,' zegt Melle. 'We zijn haar kwijtgeraakt in de supermarkt.'

'En we zijn drie keer door het dorp gelopen om haar te zoeken,' zegt Merel. 'Daardoor zijn we te laat.'

'Ik geloof er niks van,' zegt juf Simone. 'Ga maar naar Marion en Marjan, dan mogen jullie aardappels schillen. Alle aardappels. Nu meteen.'

'Gaan we chips bakken?' vraagt Melle.

'Geen grapjes, alsjeblieft! Ik heb het helemaal gehad met jullie. Uit mijn ogen, vort. Weg!'

'Maar we moeten nog iets vertellen...' begint Melle.

Merel stoot hem aan. Het heeft geen zin om nu met juf Simone te praten. Het kan ook later, als het eten klaar is.

Van juf Marion krijgen ze een enorme pan met water en twee grote zakken aardappels.

'En dun schillen, hè,' zegt ze. 'Ik wil niet van die petieterige blokjes in mijn pan.'

Achter de eetzaal is een rustig plekje in de schaduw. Merel en Melle gaan op het gras zitten en beginnen zuchtend te schillen. Als ze een kwartier bezig zijn, komt Roos even langs.

'Om ons uit te lachen zeker,' zegt Merel.

'Ja,' zegt Roos. 'Eigen schuld.'
'Heb je Kylie al gesproken?' vraagt Melle.
'Ja, die was heel ongerust toen ze jullie kwijt was.'
'Niet boos?'
'Nee, waarom?'
Opeens zet Roos grote ogen op.
'Hebben jullie het expres gedaan?' vraagt ze.
Merel voelt dat ze rood wordt. Eigenlijk was het gewoon een rotstreek, weet ze nu. Kylie kan nog zo vervelend zijn, je mag iemand niet zomaar alleen laten.
'Niet tegen haar zeggen, hoor,' fluistert Merel.
'Nee, natuurlijk niet!'
Maar Merel is er niet zeker van. Roos flapt alles eruit, ze kan niet anders. Misschien is het beter om alvast sorry te zeggen tegen Kylie. Zo gauw die aardappels geschild zijn.
'Ze moet niet steeds achter me aan lopen,' bromt Melle. 'Daar komt het van.'
'Ze is verliefd op je,' zegt Roos.
'Ja, dat snap ik ook wel. Maar wat heb ik daarmee te maken?'
Roos lacht, maar Merel staart naar de aardappels in de pan. Ze denkt aan wat Melle zei. Waarom komt Emre niet langs? Misschien is verliefd zijn een heel eenzaam gevoel. Nu heeft ze nog veel meer spijt dat ze Kylie in de steek gelaten hebben.
Merel pakt nog maar eens een nieuwe aardappel. Ze heeft er al heel veel geschild, en toch is haar zak nog niet eens half leeg. Zou het soms een toverzak zijn? Zo eentje die nooit leeg raakt; een speciale strafzak!
'Hebben jullie het al gehoord van Jessica?' vraagt Roos.

'Ze was bijna naar huis gegaan. Omdat ze haar moeder mist.'

'Kinderachtige jankepot,' zegt Melle.

'Dat is ze niet,' zegt Merel boos.

'Het komt doordat haar vader weg is,' zegt Roos. 'Jessica en haar moeder zijn gevlucht. Wisten jullie dat?'

'Dan zijn zíj dus weg,' zegt Melle. 'Niet die vader.'

'Niet zo flauw doen,' zegt Merel streng. 'Ik vind het zielig.'

'Omdat hun vader ze altijd sloeg en zo,' gaat Roos verder. 'En opsloot in donkere kasten. Een heel enge man. Dat heb ik tenminste gehoord.'

'Van Jessica?' vraagt Merel.

Roos krijgt een kleur.

'Nee, niet van Jessica,' bekent ze. 'Van andere mensen.'

'Je moet niet alles geloven,' zegt Merel.

Dat zegt haar moeder ook altijd, als Merel weer eens met een wild verhaal thuiskomt: 'De mensen zeggen zo veel. Je moet niet alles geloven wat je hoort.' En dat is ook zo. Maar misschien heeft Roos wel gelijk. Jessica is zo bang, en zo huilerig – dat is vast niet voor niets. Ze heeft waarschijnlijk écht een heleboel nare dingen meegemaakt.

'Maar ze blijft wel, hoor,' besluit Roos. 'Juf Simone heeft heel lang met haar gepraat. Komen jullie voetballen als jullie klaar zijn? Iedereen is op het veld.'

Roos draait zich om en rent weg. Melle gooit met een boogje een geschilde pieper in de pan. Het water spat tegen zijn bril.

'Nou, we zijn weer op de hoogte,' zegt hij.

Merel giechelt. *Op de hoogte*, weer iets wat hun moeder altijd zegt.

'Je klinkt net als mama.'

'Nou ja,' zegt Melle. 'Roos is net een wandelende kampkrant.'

Hij zucht nog maar eens en pakt een nieuwe aardappel. Ook zijn zak is nog behoorlijk vol.

'Raakt die zak nooit leeg?' roept hij uit.

'Nee,' zegt Merel. 'Dit zijn twee speciale strafzakken. Ze zijn behekst door juf Marion.'

Melle lacht.

'Dan had ze ons ook behekste mesjes mogen geven,' zegt hij. 'Mesjes die vanzelf schillen. Dit mesje is zo bot als mijn neus.'

'Geloof jij wat Roos net vertelde?' vraagt Merel. 'Over Jessica?'

Melle haalt zijn schouders op.

'Meiden hebben altijd wat te roddelen.'

'Maar misschien is het waar.' Merel huivert. 'Stel je voor! Een vader die je opsluit in een donkere kast!'

'Moet je je juist niet voorstellen,' zegt Melle.

Melle heeft gelijk. Je hoeft niet bang te zijn voor iets wat misschien niet waar is. Maar toch kan Merel bijna over niets anders nadenken. Ze hoopt maar dat die aardappelzakken nu snel leeg zijn. Kan ze lekker iets leuks gaan doen. Met Emre.

Desnoods voetballen.

Het verdriet van Tietje

Tijdens het eten kijkt Merel steeds naar Jessica. Ze ziet er gewoon uit, ze is hoogstens een beetje stil. Maar ja, stil is ze altijd al. Haar ogen zijn niet rood in elk geval. En ze eet voor twee.

Hoe zou het zijn, denkt Merel, als je vader en je moeder zo'n enorme ruzie hebben? Als je zelfs het huis uit moet vluchten?

Haar ouders hebben ook wel eens ruzie, soms zelfs heel erg. Een keer moesten Merel en Melle opeens een paar dagen bij opa logeren. Maar papa en mama maken het altijd weer goed.

Merel vergeet helemaal om juf Simone te vertellen over de man in het gele shirt. En als ze er weer aan denkt, is het te laat. De zon is weggezakt achter de bomen en het wordt tijd voor de spooktocht.

Juf Marjan heeft de kist met verkleedkleren in de eetzaal gezet. Iedereen kiest een spannend kostuum uit. Want als ze straks door het bos hebben gewandeld, begint de spokendisco.

Emre hijst zich in een boevenpak, dus zoekt Merel een detectivekostuum uit. Dan heeft ze een goede reden om dicht bij hem te komen: een detective moet de boef toch opsporen?

Melle kleedt zich als een vampier met een grote paarse

cape. Misschien hoopt hij dat Kylie daar bang voor is. Ook spuit hij zijn haar groen met haarverf in een spuitbus.

'Ik zal jullie vertellen van Jantje,' zegt juf Simone. 'Kennen jullie het kleine, witte huis aan het begin van het pad, hier vlakbij? Daar woonde een boer die Jantje heette. Het ging hem goed, deze Jantje. Hij had een vrouw, een zoon en een koe. En dat was meer dan de meeste mensen hadden...'

'Ik heb geen koe!' roept Melle.

Kylie moet daar natuurlijk overdreven om lachen. Voorlopig helpt dat vampierkostuum dus niet.

'Dat bedoel ik,' zegt juf Simone. 'Maar luister even. Jantje hoopte dat zijn zoon, die Pidde heette, de boerderij zou overnemen als hij oud genoeg was. Dan hoefde Jantje zelf nooit meer te werken.'

'Had zijn vrouw geen naam?' vraagt Merel.

'Jawel, maar die ga ik niet zeggen.'

'Waarom niet?'

Juf Simone zucht.

'Dan krijg ik herrie met jullie ouders,' zegt ze.

Een paar kinderen moeten lachen. Andere roepen: 'Boe!'

'Zeg het maar, juf,' zegt Wouter. 'Dan trakteren wij op chips.'

'In dat geval...' roept Simone. 'Zijn vrouw heette Tietje.'

De klas giert het uit. Het kost juf Simone een paar minuten om iedereen weer rustig te krijgen.

'Jantje wilde dus dat Pidde boer zou worden,' gaat ze verder. 'Maar de jongen zelf had andere plannen. Hij wilde naar zee...'

‘Wie wil dat nou!’ roept Wouter. ‘Als je naar zee wil, sta je altijd in de file. Wij tenminste wel.’

‘Hij wilde varen op een schip,’ gaat juf Simone door. ‘Jantje werd kwaad. Hij dreigde Pidde, hij sloeg hem. Hij sloot hem een tijdje op in de koeienstal...’

Huiverend kijkt Merel naar Jessica. Die zit met grote ogen te luisteren.

‘Maar Jantjes vrouw begreep Pidde wel.’

‘Goeie ouwe Tietje!’ roept Emre.

Merel proest. De klas begint alweer te brullen, maar juf Simone steekt een hand op.

‘Nu even luisteren,’ zegt ze. ‘Op een nacht deed ze de stal open. Ze gaf de jongen wat brood en kaas mee en wenste hem veel geluk. Pidde sloop weg en kwam niet meer terug.’

‘Lekker voor Jantje,’ zegt Melle.

‘Zeker,’ zegt juf Simone. ‘Toen Jantje begreep wat er gebeurd was, werd hij laaiend. Hij sloeg zijn vrouw dood en begroef haar in het bos achter zijn huis.’

‘Zo!’ roept Wouter.

‘Vanaf die dag ging alles mis. Op de akkers wilde niets meer groeien. De koe ging ook dood. Jantje raakte al zijn geld kwijt. Op een dag had Jantje geen kruimel brood meer in huis. Hij besloot te gaan jutten.’

‘Wat is dat?’ vraagt Roos.

‘Jutters verzamelen spullen die aanspoelen op het strand,’ legt juf Simone uit. ‘Als die dingen nog bruikbaar zijn, kun je ze verkopen. Maar Jantje was niet eerlijk. Hij wachtte niet tot er iets aan zou spoelen. Hij lokte de schepen naar de kust, bij een ondiepe plek. En dan liepen die schepen aan de grond.’

‘Hoe deed hij dat dan?’ vraagt Merel.

‘Met zijn oude olielamp,’ zegt juf Simone. ‘Daarmee ging hij in stormnachten op het duin staan. De zeelieden zagen dat lichtje en dachten dat daar een veilige haven was. Ze voeren naar de lamp toe en dan liep het schip vast. Meestal sloeg het dan om in de hoge golven. De spullen werden overboord geslingerd en spoelden aan op het strand. Die waren dan voor Jantje.’

‘Slim,’ zegt Melle.

‘Gemeen,’ zegt Merel. ‘En de mensen?’

‘Sommigen werden gered,’ zegt juf Simone. ‘Maar de meesten verdronken.’

‘Heel gemeen,’ zegt Merel.

‘Op een avond toen Jantje al heel oud was,’ gaat juf Simone verder, ‘stond er een verschrikkelijke storm. Jantje kwam maar met moeite het duin op. Daar stond hij, zwaaiend met zijn lamp in de bulderende wind. Een groot schip wendde zich naar hem toe. Dichter- en dichterbij kwam het. Jantje hield zijn adem in. Luid krakend liep het schip op een zandbank. Mensen gilden en sloegen overboord. Kisten en zeilen werden door de golven aan land gesmakt. Jantje strompelde het strand op. Er lag veel, heel veel. Het kostte hem uren om alles naar zijn huisje te slepen. Het was al bijna ochtend toen hij nog één keertje ging kijken of hij echt alles had. En toen zag hij de man…’

De hele klas is nu stil. Zelfs Wouter luistert met grote ogen.

‘De man lag voorover in de branding,’ fluistert juf Simone. ‘Hij bewoog niet. Jantje zag zijn mooie kleren. Die is rijk, dacht hij. Het is vast de kapitein. Misschien

heeft hij wel een gouden horloge... Jantje liep naar de man toe en draaide hem om... En hij keek recht in de ogen van zijn zoon. Zijn eigen zoon, die kapitein geworden was. Met wijd open ogen, maar zo dood als een pier. En op hetzelfde moment klonk vanachter hem, uit het bos, een krijsende stem...'

Wat? denkt Merel. Wat gilt die stem dan?

Maar juf Simone is stil. Met ernstige ogen kijkt ze de kring rond.

Plotseling klinkt er een hoge vrouwenstem, van buiten de eetzaal. Een heksenstem, die door merg en been gaat:

'Pidde! Pidde! Pidde!!!'

In Jantjes bos

De meisjes gillen, de jongens trekken hun hoofd tussen hun schouders. Zelfs juf Simone kijkt met grote ogen naar het raam van de eetzaal. Het staat open, maar in het donker is niets te zien.

Merel begrijpt het opeens. Die stem, dat was Jantjes vrouw. Zijn vrouw die begraven lag in het bos. Die vrouw met die rare naam. Ze heeft haar zoon herkend! En ze was niet dood, of niet helemaal... Wat een vreselijk verhaal is dat! En zou die vrouw nu buiten rondzwerven? Zou ze... Zou ze misschien naar binnen komen?

Daar, een schim in het duister! Er komt iemand naar de eetzaal toe gelopen! Sommige kinderen durven niet te kijken. En zelfs juf Simone is bang.

'Wie – wie is daar?' vraagt ze met een bevende stem.

Het is juf Marjan. Ze steekt haar lachende hoofd door het open raam naar binnen.

'Kom,' zegt ze. 'Het is lekker donker. Tijd om Jantjes bos eens te bezoeken...'

'Sjongejonge,' roept Melle met een wit hoofd van schrik. 'Nooit gedacht dat ik nog eens bang zou zijn voor een Tietje.'

Juf Marjan had gelijk. Het is echt donker! Tussen de bomen van het bos kun je echt bijna niets meer zien. En het is stil. Alleen de schuifelende voeten in het zand zijn

te horen. Niemand zegt iets. Zelfs Melle en Wouter, die in het begin nog een paar keer 'Pidde!' en 'Tietje!' hebben geroepen, durven niet meer te praten.

Merel loopt vooraan, dicht bij juf Simone. Ze heeft geen zin om nu Emre op te zoeken. Bij juf is het veiliger. Roos en Jessica zijn daar ook. De rest van de klas loopt in twee groepjes bij juf Marjan en juf Marion. Niemand wil alleen zijn in dit bos.

'Mooi, hè,' fluistert juf Simone. 'Ik ben dol op spooktochten.'

'Ik niet,' fluistert Jessica.

'Kop op,' zegt juf Simone. 'Het is allemaal maar een geintje. Merk je hoe lekker dat bos ruikt in de nacht?'

Merel begrijpt Jessica wel. Ze is zelf ook bang. Een soort bang dat ook een beetje lekker is. Maar voor Jessica is het misschien anders.

Merel steekt haar hand uit en ze voelt hoe Jessica die vastpakt.

'Zijn jullie verliefd?' vraagt Roos.

Bij een kromgegroeide boom laat juf Simone de groep stilstaan. Ze knipt haar zaklantaarn aan en laat het licht over de kronkelende takken glijden.

'Onder deze boom ligt Jantjes vrouw begraven,' zegt juf Simone. 'Zie je hoe de takken naar de hemel steken, als de armen van een vrouw in nood?'

'Pidde!' roept juf Marjan nog eens met haar heksenstem.

De meisjes gillen weer. Er klinkt geritsel in de struiken. Jessica gilt nog een keer. Ze laat Merels hand los. Dan knipt juf Simone haar lantaarn uit. Merel kan echt niets

meer zien. Ze hoort Jessica voor de derde keer gillen.

De jongens lachen.

'Wel een goeie,' hoort Merel haar broertje zeggen.

'Ik schrok me dood,' klinkt de stem van Emre.

Die staat waarschijnlijk ook te trillen op zijn benen. Maar Merel kan niet naar hem toe. Ze kan hem niet eens zien!

In de struiken verderop ritselt weer iets.

'Wat is dat?' vraagt Merel.

'Misschien een hert,' zegt juf Simone. 'Dat is natuurlijk geschrokken van juf Marjan. Net zoals iedereen.'

'Maakt een hert zo veel herrie?' vraagt Roos.

'Alles in het bos maakt herrie,' zegt juf Simone. 'Heb je wel eens een egeltje in een berg dode bladeren gehoord? Dat klinkt als een volwassen vent in zijn rommelschuurtje.'

Merel lacht.

'Kom,' zegt juf Simone. 'We gaan terug naar het kamp. Ik heb zin om te dansen.'

Het is niet ver naar het meertje. Ondertussen is de maan boven de duinen uit geklommen. Het water is diepblauw en er zweeft wat mist boven.

'Ik vond het een mooie tocht,' zegt Merel.

'Ik ook,' zegt Roos.

'Fijn,' zegt juf Simone. 'En jij, Jessica?'

Het blijft stil. Merel kijkt om zich heen. Waar is Jessica? Daarnet, in het bos, stond ze nog vlakbij.

'Marion, is Jessica bij jou?' roept juf Simone.

'Hier niet,' roept juf Marion terug.

'Bij mij ook niet,' zegt juf Marjan.

Juf Simone knipt de zaklantaarn aan en schijnt langs de bosrand. Dan langs de oevers van het meer. En nog een keer langs de bosrand.

'Jessica?' roept ze. 'Jessica!'

De hele groep neemt het over. De stemmen weerkaatsen op het water en verdwijnen tussen de bomen. Er vliegt een vogel op.

Daarna is het stil. Verschrikkelijk stil.

Juf Simone knipt haar lamp uit en laat hem langzaam zakken. Merel hoort haar zachtjes vloeken. Daar schrikt ze van, maar ze begrijpt het wel.

Dit is heel erg.

Jessica is weg.

Naar De Kooi

'Misschien is ze terug naar huis,' zegt Roos.

'Doe niet zo gek!' roept Merel. 'Midden in de nacht zeker, in Jantjes bos! Alsof ze dat durft!'

'Maar waar is ze dan?' vraagt Roos.

Ja, waar is Jessica dan? Merel weet het ook niet. Hoe kan iemand nou het ene moment nog naast je staan, en dan opeens verdwijnen?

'Misschien is ze in een gat gevallen,' zegt Merel.

Ze lopen terug naar de eetzaal. Iedereen is nog spookachtig verkleed, maar er draait geen muziek. Er wordt ook niet gelachen, er wordt alleen gefluisterd. Juf Marion maakt warme chocolademelk. Juf Marjan en juf Simone zijn aan het zoeken, in het bos.

'Er was toch zo'n geritsel,' zegt Melle opeens. 'Er ritselde iets, en toen gilde Jessica. Weet je nog?'

'Dan is ze meegenomen door een hert,' zegt Roos. 'Juf Simone zei dat het een hert was.'

Nee, niet door een hert... Opeens weet Merel het. Ze weet het heel zeker. Ze grijpt haar broertje bij zijn arm.

'Kom, je moet plassen,' zegt ze.

'Ik moet helemaal niet...'

'Ja, dat moet je wél.'

Melle kijkt haar aan.

'O ja, ik moet wel,' zegt hij, met een zucht. 'Ik voel het opeens.'

Merel trekt hem mee naar de wc's. Hier kan niemand hen horen. Voor de zekerheid doet Merel alle deuren dicht.

'Wat heb je nou?' vraagt Melle.

'De man in het gele shirt,' zegt Merel. 'Die wilde toch weten wanneer de spooktocht was? En ik heb het hem verteld.'

Ik heb het hem verteld, denkt ze. Ze kan zichzelf wel voor haar kop slaan. Die man wist wanneer ze het bos in zouden gaan. Hij heeft gewoon liggen wachten. En nu heeft hij Jessica meegenomen. Maar het had net zo goed Roos geweest kunnen zijn. Of Merel zelf...

Melle denkt na.

'Maar wat moet die man dan met haar?' vraagt hij.

Dat weet Merel niet. En ze wil er niet over nadenken ook. Die vent is een kinderlokker en Jessica is in gevaar. Dat is het enige wat telt. En als ze er iets aan willen doen, moeten ze snel zijn.

'Je moet het aan juf Simone vertellen,' zegt Melle.

'Hoe dan?' roept Merel. 'Die loopt ergens in het bos. En juf Marion kan niet weg, want er moet iemand op de klas passen. We moeten zelf gaan.'

'Waarheen?'

'Naar die camping! Naar dat tentje! En we moeten opschieten.'

Ja, opschieten. Iedere minuut telt. Merel durft er niet aan te denken wat die engerd allemaal met Jessica kan doen.

'We mogen helemaal niet op campings...' sputtert Melle.

'Nu wel!' gilt Merel. 'Nu móét het juist!'

Met twee stappen is ze bij de deur van de wc's. Ze kijkt voorzichtig de gang in.

'Niemand,' zegt ze. 'Kom!'

Samen vluchten ze naar buiten. De blokhutten liggen er verlaten bij in het blauwe licht.

'Haal je zaklantaarn,' zegt Merel. 'Ik wacht bij het hek.'

Melle sluipt het grasveld over. Merel kijkt hem na.

'Wat gaan jullie doen?' vraagt een stem achter haar.

Kylie in haar stomme glitterpakje!

'Niks,' zegt Merel. 'Jessica zoeken.'

'Maar dat mag niet,' zegt Kylie. 'We mogen niet...'

'We weten waar ze is,' zegt Merel snel. 'Zeg maar tegen Roos. Vertel haar maar dat we naar de man van het pad gaan. De man van De Kooi. Dan weet ze het wel. We gaan niet verder dan daar. Roos moet het maar aan juf Simone uitleggen. Wij hebben geen tijd.'

Daar komt Melle alweer aangehold. Hij heeft zijn zaklantaarn in de hand.

'Niet vergeten,' zegt Merel. 'Camping De Kooi. De man van het pad.'

'Wel dapper van je, Melle,' zegt Kylie.

Jajaja. Dapper van Melle. Merel bijt op haar lip en zegt maar niks terug. Samen met Melle rent ze langs het hek en naar rechts, het karrenspoor op. Kylie komt gelukkig niet achter hen aan. Dat durft ze waarschijnlijk niet eens.

Aan het eind van het pad rennen ze naar links, langs de smalle autoweg. Het is maar een klein stukje lopen.

'Hier is 't,' zegt Merel.

Hijgend staan ze voor het bord bij de ingang van de camping.

‘Weet jij nog waar die tent stond?’ vraagt Melle.

Merel denkt na. Hoe was het ook alweer? Er was zo’n rijtje caravans en dan had je een veldje met tenten. Helemaal achterin.

‘Ik weet het wel, denk ik,’ zegt ze. ‘Kom, dit is het pad.’

Het is rustig op de camping. In sommige caravans brandt nog licht of staat een tv aan. Maar er is niemand buiten.

‘Hierlangs,’ zegt Merel.

Ze kijkt over haar schouder. De uitkijktoren op Arjensdune steekt diepzwart af tegen het donkerblauw van de nachtlucht. Ja, dit moet de goede weg zijn. En daar is het veldje al.

‘Zijn tentje stond in de hoek, aan die kant,’ fluistert Melle.

Maar de hoek is leeg. Als Melle met zijn zaklamp over het gras schijnt, zien ze alleen nog een lichte vlek waar de tent heeft gestaan.

Verder niets.

De camping over

‘Hij is weg,’ fluistert Melle.

Merels buik trekt samen van schrik. Dan had ze dus gelijk. Vanmiddag stond die tent er nog. En wie vertrekt er nu ’s avonds van een camping? Dat doe je alleen als je moet vluchten. Als je een boef bent.

En wat doen boeven met meisjes? Niet aan denken.

‘Wat nu?’ vraagt Melle.

‘Vragen,’ zegt Merel. ‘Aan iemand vragen.’

‘Aan wie?’

Merel kijkt om zich heen. Een eindje verderop straalt helder licht uit een grote tent. Er klinkt ook gelach.

‘Daar,’ zegt Merel.

‘Dat kan toch niet zomaar…’

‘Hou nou eens op over dingen die niet kunnen!’ roept Merel. ‘We moeten toch iets dóén?’

Melle knikt.

Ze rennen over het vochtige gras naar de grote tent.

‘Hallo!’ roept Merel. ‘Hallo, mogen we iets vragen?’

Het gelach stopt. De rits van de tent gaat open. Een vrouw steekt haar hoofd naar buiten.

‘Hallo,’ zegt ze. ‘Wat doen jullie hier nog zo laat?’

‘We zoeken naar een man,’ zegt Merel. ‘Hij stond daar, met zo’n kleine tent. Hij had een geel voetbalshirt aan.’

‘Brazilië,’ mompelt Melle.

De vrouw kijkt onderzoekend naar hun rare kleren.

‘Wat moeten jullie van die man?’ vraagt ze.

Ja, dat is een goede vraag. Merel denkt na. Wat kan ze zeggen?

‘Ik uh, ik heb iets van hem,’ verzint ze. ‘Uit een winkel. We waren in een winkel, en toen heb ik dat gepakt. Per ongeluk. En nu wil ik het teruggeven.’

‘Wat was dat dan?’ vraagt de vrouw. ‘Weet jullie moeder wel dat jullie zo laat nog buiten zijn?’

Nee, onze moeder weet van niets, denkt Merel. Gelukkig maar. Alleen Roos en Kylie weten dat we hier zijn. En juf Simone, als ze al terug is uit Jantjes bos.

‘Wat willen jullie teruggeven?’ vraagt de vrouw opnieuw.

‘Uh, een onderbr…’ begint Merel.

Melle stompt haar in haar rug.

‘Draculatanden,’ zegt hij snel. ‘Die had hij gekocht, maar mijn zusje heeft ze per ongeluk in haar zak gestopt. Ze dacht dat ze van mij waren. Vanmiddag was dat.’

‘In Midsland,’ fluistert Merel met een rood hoofd.

De vrouw glimlacht even.

‘Per ongeluk,’ herhaalt ze. ‘Ja, ik zag hem vanmiddag met een tas van dat fopwinkeltje. Maar ik weet niet waar hij is. Hij is vertrokken toen het donker werd.’

‘Was hij alleen?’ vraagt Merel.

‘Dat weet ik niet. Ik denk het wel. Waarom vraag je dat? Je kunt het beter aan de beheerder vragen.’

‘En waar is die?’ vraagt Merel.

‘In het kantoortje, bij de ingang,’ zegt de vrouw. ‘Maar je kunt ook lekker gaan slapen. Zo belangrijk zijn die draculatanden toch niet?’

Het kantoortje is dicht. En donker. Er is niemand.

'Nou, dan zijn we klaar,' zegt Melle.

Hij lijkt wel opgelucht. En daar wordt Merel opeens boos om.

'Helemaal niet klaar!' roept ze. 'Jessica zit ergens in het bos met die engerd van die roze onderbroek!'

'Of juf Simone heeft haar allang gevonden,' zegt Melle rustig. 'Dan zijn ze al met de spokendisco begonnen.'

Daar gelooft Merel helemaal niets van. Jessica is niet gevonden. Die man heeft haar ergens mee naartoe genomen. En hij... Nee, daar wil Merel niet aan denken. Daar wordt ze alleen maar misselijk van.

'We moeten nadenken,' zegt ze. 'Je bent een man en je hebt een meisje ontvoerd. Je hebt geen plek om haar te verbergen... Wat doe je dan?'

'Dan ga je van het eiland af,' zegt Melle. 'Want de juffen hebben allang de politie gebeld. Dus iedereen zoekt hem.'

'Ja,' zegt Merel. 'Of nee, eigenlijk. Want ze weten niets van een man. Ze denken natuurlijk dat Jessica verdwaald is. Iedereen zoekt naar een meisje. Niemand zoekt naar een man. Alleen wij.'

'Misschien,' zegt Melle aarzelend.

'Maar hoe kom je van het eiland af ? Er gaan geen veerboten in de nacht...'

'En dus – heeft hij zélf een boot!' roept Melle. 'Hij neemt haar mee op een boot!'

Merel staart haar broertje aan. Hij heeft gelijk. Het kan niet anders.

In het donkere kantoortje rinkelt een telefoon.

'Dan zijn we te laat,' zegt Merel. 'Het is vast al een uur geleden dat Jessica verdween.'

'Misschien niet. Want als hij een boot heeft, heeft hij geen auto. En hij wil niet gezien worden. Hij moet natuurlijk voorzichtig zijn. Dan kom je niet zo snel vooruit. Maar wij kunnen gewoon de snelste weg nemen.'

Merel is trots op haar broer. Ze geeft hem zomaar een zoen. Daar houdt hij niet van, maar dat doet er niet toe. Zijn bril staat scheef op zijn neus.

'Kom op,' zegt ze. 'Naar de haven!'

In de haven van West

‘Kunnen we niet beter alles aan de politie vertellen?’ hijgt Melle.

Ze lopen langs de grote weg die naar de haven van West-Terschelling voert. Het eerste stuk tot Halfweg hebben ze gerend. Merel is onderweg haar hoed verloren, maar die halen ze later wel op.

‘Nee,’ zegt Merel. ‘Dan gaat de politie allemaal vragen stellen. Dat zie je op de televisie ook altijd. Dat duurt veel te lang.’

‘Ze kunnen toch ook eerst Jessica terughalen en daarná vragen stellen?’

Maar Merel wil niet nadenken. Daar is geen tijd voor. Ze probeert zich te herinneren hoe ver het nog is naar de jachthaven.

‘Kijk, daar zijn die fabriekjes,’ zegt ze. ‘Daarachter is het toch? Kom op, we rennen weer een stukje.’

‘Ik vind dat we beter…’ begint Melle.

Maar Merel is al weg. Met grote passen rent ze langs het industrieterrein. Melle komt toch wel achter haar aan.

De weg buigt eerst naar links en dan weer naar rechts. In de laatste bocht ziet Merel het maanlicht schijnen op de masten in de jachthaven. Ze staat stil.

‘Daar is het,’ fluistert Merel. ‘Zie jij iets?’

‘Nee,’ zegt Melle. ‘Er beweegt niks.’

Voorzichtig lopen ze naar de waterkant. De schepen deinen zachtjes heen en weer aan de steigers. Af en toe

tingelt een staaldraad tegen een mast. Een late meeuw krijst boven de Waddenzee.

Er staat een hek om de jachthaven, maar daar komen ze makkelijk overheen. Merel vindt een oud stuk touw en pakt het op.

'Wat moet je daarmee?' vraagt Melle.

'Weet ik niet. Maar anders hebben we helemaal niets.'

Nog steeds is het rustig in de haven. Vanuit het dorp, verderop, waait af en toe wat cafémuziek langs.

'Waar kunnen ze zijn?' fluistert Merel.

Ze tuurt de steigers langs. Er liggen veel schepen, in alle soorten en maten. Van heel kleine zeilboten tot poenige plezierjachten met veel glimmend metaal eraan. En nergens beweging. Alsof er geen mensen zijn...

'Daar!' fluistert Melle opeens.

Hij wijst naar de ingang van de jachthaven. In het oranje licht van een lantaarn verschijnen twee figuren. Een grote man – en een meisje. Jessica. De man heeft nu een donker jack aan, maar Merel herkent hem meteen.

'Dat zijn ze,' fluistert Merel.

Meteen duikt ze weg achter een grote boot. Melle volgt haar voorbeeld.

Merel is opgelucht. En blij. Ontzettend blij. Want daar loopt Jessica, gewoon op haar eigen benen, met haar verkleedkleren nog aan. Al die nare gedachtes die Merel heeft gehad, zijn niet waar.

Jessica ligt niet begraven onder een kromme boom in Jantjes bos.

Merel gluurt om een hoekje van de boot. Ze ziet Jessica een steiger op lopen, samen met de vreemde man. Ze

klimmen aan boord van een behoorlijk groot schip. Dan schuift er een zware wolk voor de maan.

'Wat gek dat ze niet wegloopt,' zegt Melle.

'Dat durft ze natuurlijk niet. Kom op.'

Voorzichtig sluipen Merel en Melle langs de dijk naar de steiger. Ze turen naar het schip. Er is niets te zien. Jessica en de man zijn de kajuit ingegaan.

Merel rent de steiger op. Ze weet niet waarom en ze heeft geen idee van wat ze straks gaat doen. Ze heeft geen enkel plan. Het enige wat ze wil, is Jessica redden van die engerd.

Nu staat ze naast het schip. Melle is bij haar. Hij is bang, dat kan ze zien. Maar hij laat haar niet alleen. Hij is een echte broer.

Het schip heeft een kajuit aan de voorkant. De achterkant is open. Daar is het stuurwiel, met een hoge kruk erbij, en er zijn banken langs drie kanten. Merel is wel eens eerder op zo'n schip geweest. Ze weet dat de zittingen van de banken omhoog kunnen. Daar kun je spullen in opbergen.

Voorzichtig, zonder geluid te maken, klimt Merel aan boord. Ze kijkt naar het deurtje van de kajuit. Dat is dicht. Achter de deur hoort ze stemmen. Jessica's stem eerst, en dan die van de man. Wat ze zeggen, kan Merel niet verstaan. Maar het klinkt niet vriendelijk.

'We moeten de politie halen,' sist Melle in haar oor. 'Wij hebben ons werk gedaan.'

Merel luistert niet. Ze probeert de eerste bank. Daar liggen zwemvesten in, maar als ze die een beetje anders verdeelt, kan ze er nog wel bij. Ze knikt naar Melle dat hij ook

een plekje moet zoeken, maar die schudt zijn hoofd.

'De politie,' zegt hij nog een keer.

Dan klinkt de stem van de man opeens luid en duidelijk uit de kajuit.

'Geen woord meer!' brult hij. 'We vertrekken!'

Melle schrikt en springt op de steiger. Even overweegt Merel om hem te volgen. Maar dan opent ze de bank helemaal, geeft een klap tegen de zwemvesten en verstopt zich.

Door een kiertje ziet ze de man uit de kajuit komen. Met een paar woeste bewegingen trekt hij de touwen van het schip los. Daarna gaat hij aan het stuurwiel zitten en start de motor. Langzaam vaart het schip weg van de steiger. De lichten blijven uit.

Ze zijn vertrokken.

Mislukt!

Merel ligt in de bank, opgepropt tussen de zwemvesten. Haar hart gaat zo tekeer dat ze bang is dat de man het zal horen. Maar hij kijkt niet om. Hij houdt zijn ogen strak op de vaargeul gericht. Merel kan verder niets zien, maar ze hoort de sirene van een politiewagen. Die is ergens achter haar, in de haven.

De man kijkt even naar rechts. Het licht van de Brandaris glijdt over zijn gezicht. Het lijkt wel of hij huilt... Maar dan vloekt hij weer en geeft gas.

Wat is dit, denkt Merel. Wat is dit toch voor een man?

Ze voelt hoe ze sneller en sneller varen. Het schip gaat recht door het water, alsof er geen golven zijn.

Dit is geen simpel bootje.

Dit is een racemonster.

Merel denkt na. Het stuk touw in haar handen voelt stevig. Als ze uit de bank klimt, zonder dat de man het merkt... Als ze het touw in één keer over hem heen gooit... Als ze hem vastbindt aan die kruk...

Als, als, als... Merel moet heel snel zijn. Want als hij haar ziet, is ze verloren. De man is veel te groot en te sterk.

Nog steeds maakt het schip meer vaart. De man tuurt ingespannen in het duister. Zolang ze nog niet op open zee zijn, moet hij alle aandacht bij het stuurwiel houden.

Merel haalt diep adem. Voorzichtig duwt ze de zitting van de bank omhoog. Gelukkig zit er een kussen op. Het

maakt geen geluid als de zitting tegen de rugleuning aan valt.

Merel wacht. De man heeft niets gemerkt. Mooi zo, goed zo... Merel trekt zichzelf overeind. Ze zet haar voeten op het dek. Dan klimt ze uit de bank en hurkt. Wachten, wachten... Ze sluit de zitting en schuift een paar meter naar links.

Nu zit ze recht achter de man. Zelfs als hij opzij kijkt, kan hij haar niet zien. Merel komt een stukje overeind en kijkt om zich heen.

Het schip is bijna voorbij de strekdam, ziet ze. En het gaat ontzettend snel. Als ze heel even wacht, zijn ze op de Waddenzee. Daar kan Merel de man vastbinden zonder bang te hoeven zijn dat het schip te pletter slaat.

Nog twintig meter... Merel pakt de twee uiteinden van het touw stevig vast. Nog tien meter...

Nu! Merel springt overeind en gooit het touw over het hoofd van de man. Meteen trekt ze het strak en slaat het twee keer om de poot van de kruk. Nu een knoop, een knoop... Maar wat voor een knoop?

'Wat zullen we nu krijgen?' brult de man.

Hij probeert op te staan. Het touw schuurt in Merels handen, maar ze houdt vast. Nog even, het moet...

'Jessica!' gilt Merel. 'Kom helpen!'

De man trapt achteruit. Zijn zware schoen raakt Merel tegen haar schouder. Ze tuimelt achterover op het dek. Van schrik laat ze het touw los. De man springt meteen van de kruk. Hij buigt zich over Merel heen.

'En wie ben jíj? Ben je alleen?'

De man kijkt snel om zich heen. De boot maakt een

vreemde slinger. De man vloekt en grijpt het stuurwiel weer vast.

Merel weet niet wat ze moet doen. Ze kán niets doen.

'Blijf maar lekker zitten,' zegt de man. 'Ik bedenk straks wel wat er met jou moet gebeuren.'

De deur van de kajuit gaat open en Jessica stapt het dek op. Ze rent meteen naar Merel toe.

'Dit is mijn vriendin,' roept ze. 'Dit is Merel. En je mag haar niks doen! Hoor je dat?'

Wat is Jessica dapper, denkt Merel. Om zo te schreeuwen naar die enge vent! Maar dan roept Jessica iets vreemds. Iets onbegrijpelijks. Merel gelooft haar oren niet. Maar Jessica roept het écht:

'Hoor je dat, papa?!'

Race op de Waddenzee

Papa! Jessica zegt *papa*. Is deze enge kerel haar vader? Maar wat doet hij dan op Terschelling? En waarom haalt hij zijn dochter van het kamp, midden in de nacht, met een soort superboot?

Merel krijgt geen tijd om erover na te denken. Het schip maakt een scherpe draai naar rechts en een regen van zeewater daalt over het dek.

'Kom mee naar binnen,' roept Jessica.

Ze steekt haar hand uit en Merel volgt haar de kajuit in.

'Ben je erg nat?' vraagt Jessica. 'Ik heb een handdoek.'

Ze rommelt wat in een grote rugzak die op een bank in de kajuit staat. Er komt een grote, roze handdoek tevoorschijn. En er rolt een roze onderbroekje op de vloer.

O, denkt Merel. O ja. Maar ze begrijpt er niets van.

'Hij heeft me ontvoerd,' zegt Jessica. 'Omdat hij me niet meer mocht zien van mijn moeder. We zijn verhuisd, maar hij is erachter gekomen waarheen. En hij wist dat we op kamp gingen. Dus.'

Dus?

'Hij kon me niet uit huis halen, of van school. Daar let iedereen goed op. Maar in de nacht, in een bos, is het veel makkelijker.'

O ja.

'Ik heb je horen gillen,' zegt Merel zacht. 'Drie keer.'

Ze kijkt uit het raam van de kajuit. Op de donkere Wad-

denzee zijn alleen wat kleine lichten te zien, rood en groen en wit. Lichtjes van boeien en andere schepen.

'En ik wist dat hij er was!' roept Jessica. 'Ik had zijn schip gezien, toen we naar het eiland voeren. Weet je nog dat Emre het zo'n mooie boot vond? Ik herkende hem meteen. Ik wilde terug. Ik was bang. Maar juf Simone zei dat dat niet kon. En dat mijn vader niet wist waar we waren. Maar dat wist hij wél! En ik had gelijk.'

En toen was hij bij het kamp gaan kijken, denkt Merel. En in Midsland had hij gevraagd naar de spooktocht. En toen was daar een dom meisje dat gewoon vertelde dat vanavond de spooktocht was...

Merel kan zichzelf wel drie miljoen keer voor haar kop slaan. Ze had het meteen aan juf Simone moeten zeggen. Dan was dit allemaal niet gebeurd.

En nu? Nu zitten ze op een schip, midden op de Waddenzee. En alleen Melle weet waar ze zijn. Wat doet hij nu? Is hij naar de politie gegaan?

'We varen naar huis,' zegt Jessica. 'Ons oude huis. Hij laat jou heus wel gaan, hoor. En mij doet hij ook niks.'

'Ik dacht juist van wél. Dat jouw vader jullie...'

'Wie zegt dat?' roept Jessica boos.

'Iemand,' zegt Merel. 'Iemand zei dat. Maar misschien heb ik het niet goed begrepen.'

'Mijn vader doet mij niks,' zegt Jessica nog een keer.

Dat is een soort opluchting. Maar waarom was Jessica dan zo bang voor hem? Het is allemaal niet te begrijpen.

Merel weet niet hoelang ze nu al varen. Misschien al wel een kwartier. Of langer. En al die tijd heeft Jessica niets

meer gezegd. Merel weet zelf ook niets te zeggen.

Het is wel prettig dat Jessica's vader nu niet meer zo snel vaart. Merel kijkt nog eens naar buiten. Verderop zijn de lichten van Harlingen al heel goed te zien. Maar wat vaart daar, een stukje achter hen? Een andere snelle boot. Een boot met een zoeklicht erop.

'Kijk eens, Jessica,' zegt Merel.

Jessica komt naast haar zitten.

'Ik kan het niet goed zien,' zegt ze. 'Maar ik denk dat ze achter ons aan zitten.'

Vanaf het dek klinkt alweer een serie harde vloeken. De motor begint nog gemener te grommen en het schip schiet vooruit.

'Die halen ons niet in,' zegt Jessica.

Maar dat probeert de andere boot wel. Er klinkt een harde luidsprekerstem over het donkere water.

'Hier spreekt de politie. Geef u over! Vanaf Harlingen is een helikopter onderweg. U heeft geen kans. Ik herhaal: geef u over!'

Merel is heel erg opgelucht. Het is de politie. Nu komt het goed.

Maar Jessica's vader heeft andere plannen. Ineens gooit hij het stuurwiel om. Merel en Jessica rollen van de bank, over de vloer van de kajuit. Als ze overeind krabbelen, zien ze hoe hun schip de politieboot passeert. Nu varen ze regelrecht de andere kant op, terug naar het noorden. Dat ziet Merel aan de Poolster, die bijna recht boven de voorplecht staat.

'En wat doet je vader nu?' vraagt Merel.

'Hij probeert te vluchten,' zegt Jessica. 'Hij kent dit water heel erg goed.'

‘Maar we varen naar de Noordzee! Wil hij naar Denemarken of zo?’

‘Daar zijn we al eens eerder geweest,’ zegt Jessica. ‘Vroeger...’

De politieboot is ook gekeerd. Hij vaart op een afstandje achter hen aan. Het zoeklicht schijnt af en toe door de raampjes de kajuit binnen. En er komt een tweede licht bij, hoog in de lucht.

‘De helikopter!’ gilt Merel. ‘Dat is die helikopter!’

Ze kunnen hem nu ook horen, boven het geluid van de scheepsmotor uit. De helikopter is veel sneller dan een schip. Hij hangt al snel recht boven de kajuit. Merel en Jessica kunnen hem niet meer zien. Maar hóren kunnen ze hem des te beter.

‘Geef u over,’ klinkt een stem. ‘Stop de boot en wacht op de waterpolitie. Stop de boot nú of we schieten.’

Merel gelooft niet wat ze hoort. Dat meent de politie toch niet? Ze gaan toch niet echt schieten? Zijn Jessica en zij dan wel veilig in de kajuit? Alles op het schip is licht en dun. Kogels kunnen er zó doorheen!

Het schip mindert vaart, het gebrul van de motor verandert in geprutteL.

‘Hij geeft het op,’ zegt Jessica.

‘Dat geloof ik ook,’ zegt Merel.

De kou verdwijnt uit haar lijf. Ze kan weer gewoon ademhalen.

Het schip ligt nu rustig te dobberen op de golven van de Waddenzee. De politieboot komt langszij. Een paar agenten springen aan boord. Merel ziet hun blauwe benen langs het kajuitraampje schuifelen.

De deur gaat open. Een vrouwelijke agent stapt naar binnen.

'Zo, meiden,' zegt ze vriendelijk. 'Alles goed?'

Merel knikt. Opeens is ze vreselijk moe. Door het deurtje ziet ze hoe Jessica's vader door twee agenten wordt meegenomen. Hij verzet zich niet. Hij vloekt ook niet.

Hij huilt weer.

'Ben je goed behandeld, Jessica?' vraagt de agente nog eens.

'Natuurlijk,' zegt Jessica zacht.

'Hij had zelfs schoon ondergoed voor haar gekocht,' fluistert Merel.

Terug aan de wal

In de jachthaven wacht Melle. Juf Simone is er ook.

'Meiden toch,' zegt ze. 'Jessica toch...'

De agente geeft haar een hand.

'Pas maar goed op ze, juf,' zegt ze. 'En morgen willen we nog een paar dingetjes vragen.'

Juf Simone krijgt een kleur en kijkt naar de grond.

'Hoe was het op dat schip?' vraagt Melle.

'Gewoon,' zegt Merel.

Dat is een stom antwoord. Maar ze kan niet meer denken. En ze kan ook niet zeggen hoe het op het schip was.

Ze kijkt Jessica aan. Opeens moeten ze lachen. Allebei, en heel hard. Ze kunnen niet meer stoppen.

'Rustig maar,' zegt juf Simone. 'De politie brengt ons naar het kamp.'

Dat brengt Jessica tot bedaren.

'Ik wil liever naar huis,' zegt ze. 'Ik wil graag bij mijn moeder zijn.'

'Dan heb ik een verrassing,' zegt juf Simone. 'Over een paar uur komt de eerste boot. Moet jij eens raden wie daarop zit.'

Er staat een politiebusje aan het einde van de steiger. De zijdeur staat al open. Als ze zijn ingestapt, rijdt de agente weg.

'Toen het schip ging varen, ben ik meteen de politie gaan halen,' zegt Melle. 'Ik wist alleen niet waar ik heen

moest. Gelukkig kwam de politie er al aan. Ik heb je hoed teruggevonden.'

Merel knikt alleen.

'Wij hadden ze gebeld vanaf het kamp,' zegt juf Simone. 'Toen Roos ons vertelde van de man van de camping, wisten ze genoeg. Maar ze waren net te laat in de jachthaven.'

Ja, denkt Merel, dat klopt. Ik heb de sirene nog gehoord.

'Laat maar,' zegt ze. 'Ik hoor het later wel.'

'Ik wil slapen,' zegt Jessica.

Ze pakt Merels hand even vast.

'Naast jou,' zegt ze. 'In het bovenste bed.'

Als Merel wakker wordt, is Jessica weg. Even schrikt ze daarvan, maar dan weet ze alles weer. Het is al laat in de ochtend. Jessica is natuurlijk naar de veerhaven. Naar haar moeder. En ze heeft geen afscheid kunnen nemen, omdat het veel te vroeg was.

Langzaam komt Merel overeind. Ze klimt langs het trapje naar beneden. Er is niemand in de blokhut. Van buiten klinken opgewonden stemmen.

'Rustig, rustig!' roept juf Simone. 'Hartelijk welkom. Wilt u een kopje koffie?'

Merel trekt snel een broek en een T-shirt aan. Op blote voeten rent ze naar buiten.

De hele klas staat bij het hek. En daar is ook het politiebusje. Staat dat er nou nog steeds? Is die agente de hele nacht op wacht blijven staan?

Maar er komt een mevrouw uit. Jessica's moeder! Merel herkent haar, ze heeft haar gezien toen de bus vertrok. En Jessica is er zelf ook. Ze is niet weg. Ze heeft alleen haar moeder opgehaald.

'Ik wil graag een kopje koffie,' zegt Jessica's moeder. 'En ik wil heel graag met Merel en Melle spreken.'

'Merel ligt nog te maffen,' roept Melle boven iedereen uit. 'Maar ik ben tot uw dienst!'

Jessica's moeder lacht.

'Ik ben ook wakker!' roept Merel. 'Ik ben hier!'

Ze rent naar het hek. Jessica's moeder spreidt haar armen uit.

'Laat me je knuffelen, heldin,' zegt ze.

Maar dat gaat Merel een beetje te ver. Ze blijft staan.

Jessica's moeder lacht alweer.

'Niet?' vraagt ze. 'Ook goed. Dan geef ik je een hand.'

'En dat is misschien maar verstandiger ook,' gilt Melle. 'Ze komt recht uit haar bed. Ze heeft zich nog niet geschoren!'

Hij is de enige die daar om lacht. Emre geeft hem een stomp in zijn ribben. En daar is Merel blij mee. Veel blijer dan met de hand van Jessica's moeder.

Een dag aan het strand

Het is bloedheet. Merel, Roos en Jessica liggen op hun buik naar de zee te kijken. Melle en Wouter proberen elkaar kopje-onder te duwen.

'Moet je Kylie zien.' Roos wijst.

Kylie is ook in zee. Af en toe rent ze naar Melle toe en geeft hem een duw. Maar hij heeft helemaal geen oog voor haar. Hij is lekker met Wouter aan 't stoeien.

'Zielig,' zegt Merel.

Roos knikt. 'Je zal maar verliefd zijn.'

Merel zegt niets. Ze kijkt naar Emre, die iets verderop op zijn handdoek ligt. Vergist ze zich nou, of glimlacht hij echt even naar haar? Merel voelt dat ze rood wordt. Snel draait ze zich om.

Er cirkelen meeuwen boven zee. In de verte vaart een groot containerschip. Juf Simone is aan het badmintonnen met juf Marjan.

'Mijn vader is vrij,' zegt Jessica opeens.

Merel en Roos gaan rechtop zitten.

'Hij heeft maar één dag in de cel gezeten,' gaat Jessica verder.

'En ben je nu weer bang?' vraagt Roos.

'Nee. Hij gaat nooit meer zoiets doen.'

'Maar hij heeft toch al vaker nare dingen gedaan?'

Nu komt Jessica ook overeind.

'Wie zegt dat?' vraagt ze.

Roos krijgt alweer een kleur. Net als bij het aardappelschillen gisteren. Was dat pas gisteren? Het lijkt wel een jaar geleden!

'Dat had ik gehoord,' fluistert Roos.

'Van wie?'

'Van... Van... Van iemand.'

'Wie?' Jessica is echt boos nu, dat kun je zien.

'Van... Ik weet het niet,' zegt Roos.

'Je hebt het verzonnen!' roept Jessica.

'Nee toch?' vraagt Merel.

'Nou ja, je was toch niet voor niets gevlucht?' Roos staart naar haar tenen. Haar gezicht is vuurrood geworden. Merel heeft medelijden met haar. Snel begint ze over iets anders.

'Hoe weet je dat je vader weer vrij is?'

'Van hemzelf,' zegt Jessica. 'Hij heeft me gebeld. Op mijn moeders telefoon.'

Daar is Merel even stil van. Roos weet ook niets te zeggen – en dat komt niet zo heel vaak voor.

'Eigenlijk is het wel goed,' zegt Jessica. 'Nu praten ze tenminste weer. Mijn vader en mijn moeder, bedoel ik. Dat is goed.'

Ja, dat is goed, denkt Merel. Maar het had misschien wel anders gekund. Zonder een ontvoering en een botenrace over de Waddenzee. Maar dat zegt ze allemaal niet. Als Jessica er blij mee is, is het goed.

Juf Marion komt aanlopen, samen met de moeder van Jessica. Ze dragen allebei een grote kartonnen doos.

'Allemaal hier komen!' roept juf Marion.

Van alle kanten komen de kinderen aangerend. De dozen worden uitgepakt.

In de ene zitten pakjes drinken, en in de andere...

'Chips!' roept juf Simone. 'Wat geweldig! Waar hebben we die aan te danken?'

'Ik wilde jullie trakteren,' zegt Jessica's moeder. 'Jullie hebben zo veel voor Jessica gedaan.'

'Nou, lekker, hoor,' zegt juf Simone. 'Maar denk erom, jongens, de lege zakjes en pakjes gaan allemaal terug in de doos. Dit is een heerlijk schoon strand en dat gaan we zo houden! En o ja, als iemand geen chips lust, levert hij zijn zakje bij mij in. Alleen bij mij, begrepen?'

Maar iedereen lust chips. Merel, Roos en Jessica gaan weer op hun handdoek zitten. Juf Simone en de moeder van Jessica komen erbij.

'Dit is het wel,' zegt juf Simone. 'Geen ellende meer. Zon, zee en strand.'

'En chips,' zegt Merel.

'En de moeder van Jessica,' zegt juf Simone. 'Want die blijft er ook lekker nog drie dagen bij. Toch?'

'Ik wel,' zegt Jessica's moeder. 'Graag.'

'Dus wordt het een topkamp,' zegt juf Simone.

Merel kijkt naar Jessica. Die glimlacht terug. En ze lacht zelfs alweer naar Roos.

'We gaan zwemmen!' Roos springt overeind.

'Zakjes in de doos!' roept juf Simone.

Merel en Jessica staan ook op. Met zijn drietjes rennen ze de zee in. Roos en Jessica stoppen al als het water nog maar tot hun enkels komt. Maar Merel rent door tot ze Emre tegenkomt. Ze duwt hem omver. Hij lacht.

Ja, het kamp is nu pas écht begonnen.

En het kamp wordt leuk!

Hans Kuyper over Merel en Melle

Terschelling bestaat natuurlijk echt, dat wist je wel. Je kunt er met de boot naartoe gaan. Dan zul je merken dat alle plekken die in dit boek worden beschreven, ook echt bestaan: Kamp Hee, het meertje bij Arjensdune, camping De Kooi en het fopwinkeltje in Midsland. Zoek ook maar eens naar het café met de oranje schoenen!

Zelfs juf Simone bestaat echt, net zoals juf Marjan en juf Marion.

Maar de rest van dit boek is verzonnen.

Misschien vond je het verhaal zo spannend en leuk dat je meer over Merel en Melle wilt lezen. Dat kan, er zijn nog twee boeken over de tweeling. Het ene heet *Het geheim van het Kruitpaleis*. Daarin beleeft Merel een angstig avontuur met zwaarbewapende soldaten. En in *Gered door de honden* gaan Merel en Melle skiën in Finland. Ze komen een mysterieuze Rus tegen die op de vlucht is voor de politie.

Ik ben van plan om nog meer boeken over Merel en Melle te gaan schrijven. Allemaal verhalen vol avontuur, waar ook nog wat bij te lachen valt. Ik denk dat ik hen een keer naar Schotland stuur, en naar Hongarije. En er is ook vast nog wel een spannend kasteel in Nederland waar ze nog nooit geweest zijn.

Maar misschien heb jij zelf wel een goed idee. Heb jij een avontuur meegemaakt (of verzonnen) dat je echt iets vindt voor Merel en Melle? Laat het me dan weten! Als ik jouw idee gebruik, komt je naam in het boek te staan!

Stuur je ideeën naar: Hans Kuyper
Postbus 1266
1500 AG ZAANDAM

Of mail me: hanskuyper@hotmail.com

Je krijgt in elk geval antwoord!

Hans Kuyper

Hans Kuyper
Het geheim van het Kruitpaleis

Merel en Melle logeren bij opa, vlakbij de oude kruitfabriek. Verboden terrein! Merel en Melle zagen een gat in het hek en vinden een vervallen huisje, een handgranaat en spannende liefdesbrieven. Maar als ze worden ontdekt, zijn ze plotseling in levensgevaar...

Hans Kuyper
Gered door honden

Merel en Melle zijn op sneeuwvakantie in Finland.
Maar tijdens een tocht met een hondenslee, dwars door de bossen,
komt plotseling een man met een bontmuts tevoorschijn.
Hij springt op hun slee en gaat ervandoor,
met Merel en Melle er nog in!

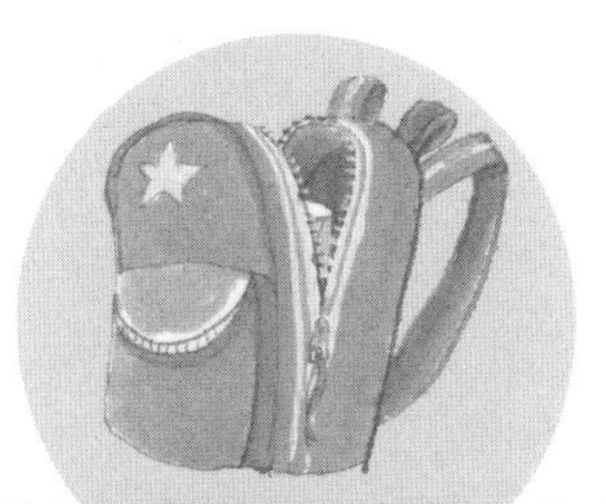

WWW.RUGZAKAVONTUUR.NL

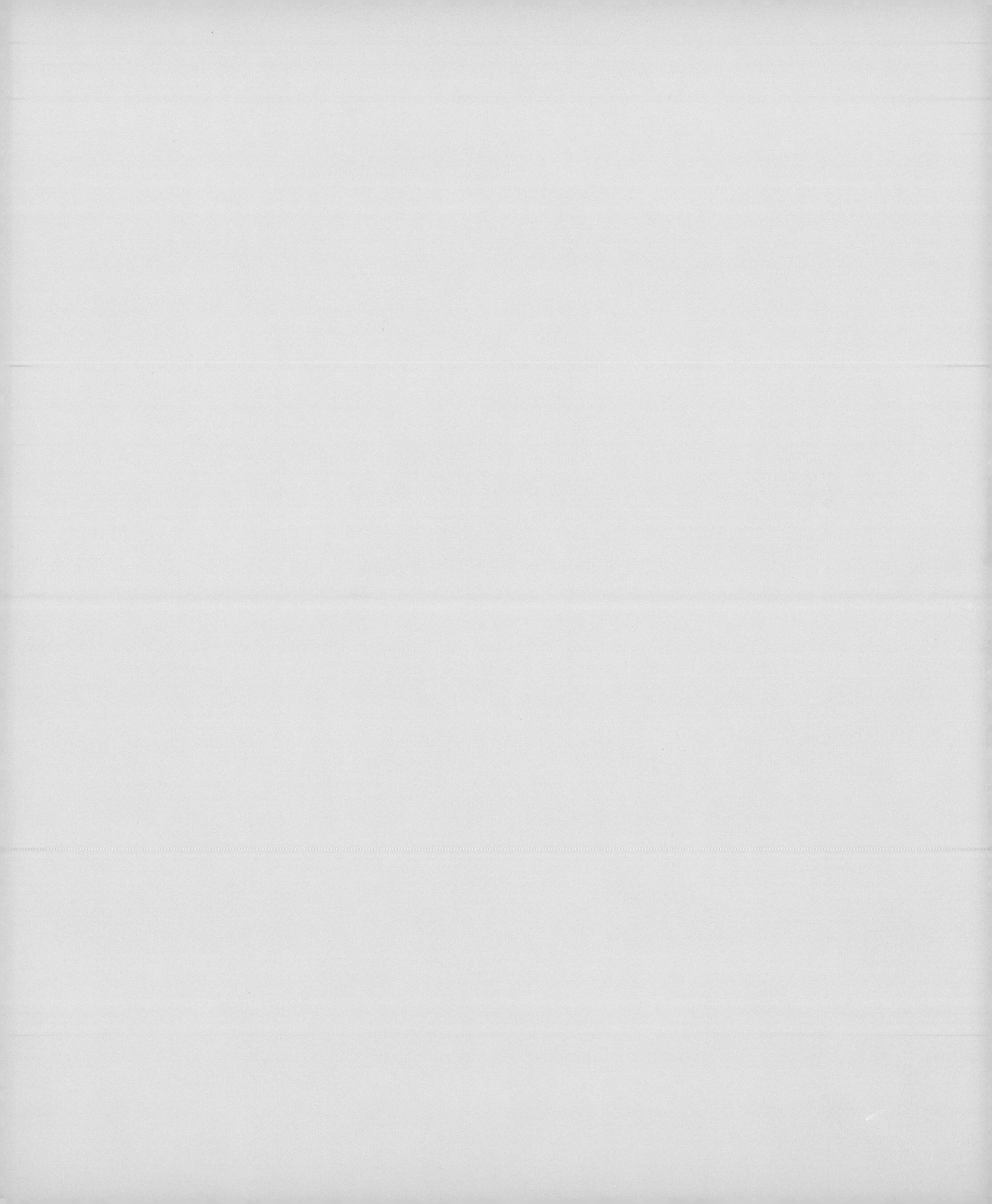

SIMON AND SCHUSTER
First published in 2006 in Great Britain by Simon & Schuster UK Ltd
Africa House, 64-78 Kingsway
London WC2B 6AH
A CBS COMPANY

This hardback edition published in 2007

A CIP catalogue record for this book is available from the British Library upon request

ISBN-10: 1-84738-075-1
ISBN-13: 978-1-84738-075-3

Printed in China
1 3 5 7 9 10 8 6 4 2

Making their way home from their disastrous picnic, the Bains were amazed when they reached the village green.

"What on earth?" said Ajay.

"Wow!" gasped Meera.

"Well," chuckled Pat. "If the Bains can't get to the seaside, the seaside must come to the Bains!"

And everyone had a really brilliant day at Greendale-on-sea!

In no time at all, Ted Glen's sand was spread across the green, and with deckchairs, umbrellas, a paddling pool and a volleyball net, it was just like the seaside!

"This is like being at the seaside," laughed Charlie.

"Now that gives me the best idea yet!" grinned Pat.

But Julian and his friends had other plans! They arrived with their buckets and spades.

"I've brought some friends to play, Dad. Right everyone, get digging!"

"But Julian . . . wait!" gasped Pat.

Back in Greendale, everyone watched anxiously as the vacuum cleaner got fuller and fuller . . . and fuller and then . . . BOOM! The bag burst, showering them all with sand.

"Uh-oh!" sighed PC Selby. "Looks like we'll have to use my helmet after all!"

They trudged up to the top of Greendale Hill.

"Phew, it's steep," puffed Meera.

"At least there aren't any sheep," smiled Nisha.

"Or bees!" joked Meera.

But soon there was no picnic either! When Ajay took off his backpack, it rolled down the hill, spilling their food as it went.

"I give up!" groaned Ajay.

Ajay was just about to bite into his sandwich, when . . .

Baaa! A flock of sheep came to join their picnic!

“Go away! Shoo!” shouted Ajay, but the sheep wouldn’t budge.

“It’s no good, Ajay,” said Nisha, “we’ll have to go somewhere else.”

Meanwhile the Bains had arrived at Greendale Farm, and their picnic was all ready.

"At last!" sighed Meera.

"That walking's made me hungry!" said Ajay. "Let's eat!"

Julian got on the phone to his friends.

"That's right, Charlie. You tell Tom and Katy, and I'll call Lucy. See you there – and don't forget your bucket and spade!"

When Sara and Julian passed by on their way to Charlie's, Pat was about to suck up the sand with Dr Gilbertson's vacuum cleaner!

"Are you sure it'll work, Pat?" asked Ted doubtfully.

"I've got a better idea, Dad," called Julian. "Stay right there!"

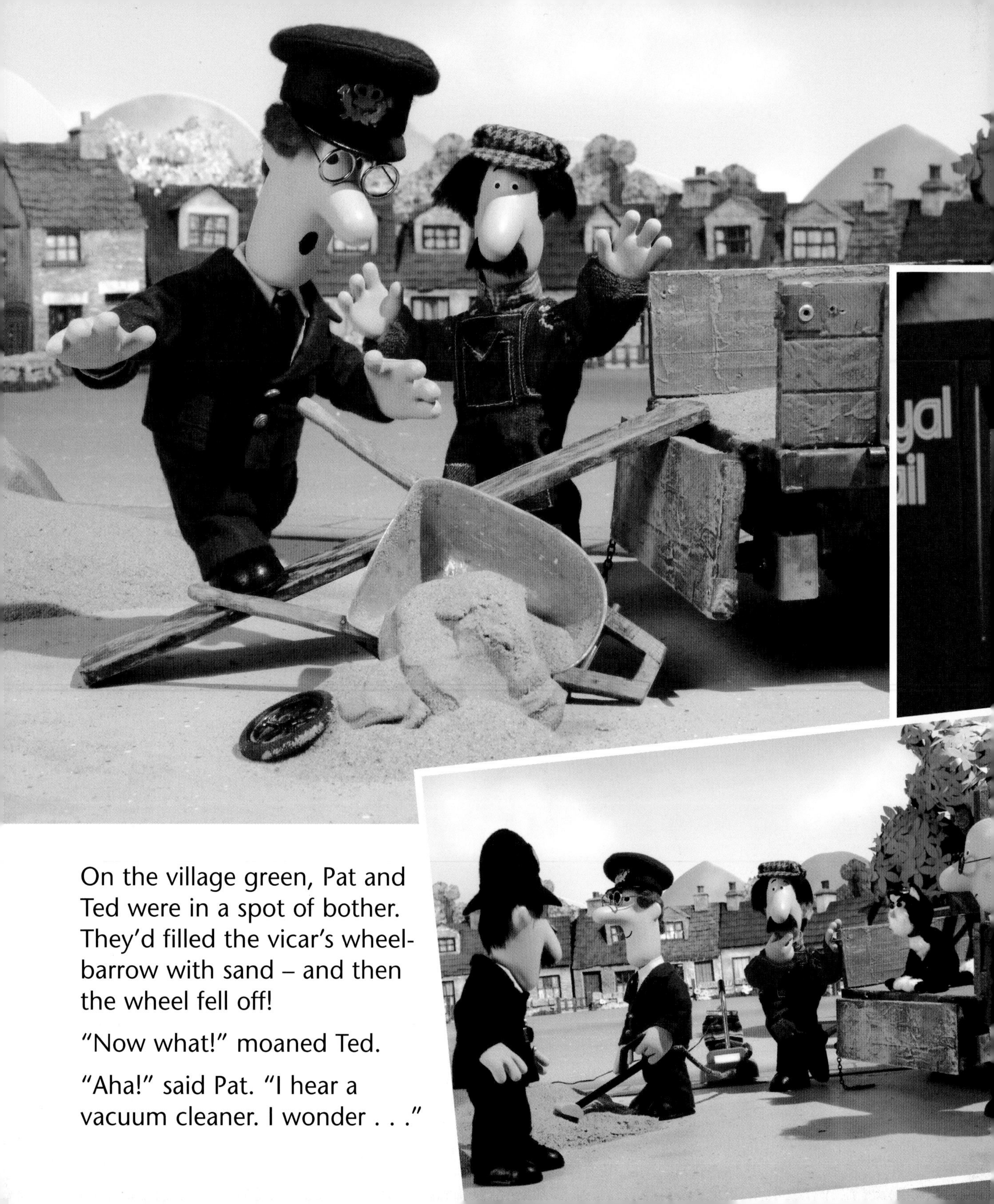

On the village green, Pat and Ted were in a spot of bother. They'd filled the vicar's wheel-barrow with sand – and then the wheel fell off!

"Now what!" moaned Ted.

"Aha!" said Pat. "I hear a vacuum cleaner. I wonder . . ."

"I'm afraid you can't have your picnic here," she told them. "Didn't you see the beehives? We're building a proper stand for them, when Ted gets here with the sand. Why don't you go up to Greendale Farm instead?

Just then they heard a loud buzzing sound.

"Er, Dad, what's that noise?" asked Meera.

"It's getting louder!" said Nisha.

Suddenly a mysterious veiled figure appeared from behind the hedge. It was Dorothy Thompson, dressed in her beekeeper's clothing.

Ajay had also had an idea – a family picnic. The Bains set off for Thompson Ground.

"Here we are!" smiled Ajay. "The perfect spot!"

They started filling the bags with sand, but it poured out of the bottom!

"Oh dear, that's no good," grumbled Pat. And then he caught sight of Reverend Timms wheeling his wheel-barrow across the churchyard. "Hmm, I've got an idea."

PC Selby was scooping up the sand with his helmet when Pat appeared.

"It can't stay here, Ted," PC Selby muttered. "It makes the place look untidy."

"The question is, how are we going to move it?" asked Ted.

"Well you won't move much sand like that!" chuckled Pat. "Tell you what, let's use these spare mailbags."

While Pat was in the cafe, Ted Glen was getting into a real pickle. He hit a bump in the road and all the sand tipped out of his truck! "Oh 'eck!" he groaned.

Pat's first stop was the station cafe. He had a postcard for Meera.

"It's from cousin Sanjay!" cried Meera. "He's at the seaside! Can we go to the seaside, Mum?"

"It's too far to go just for the day, Meera," said Nisha.

"Well, I'm sure you'll find something else to do!" smiled Pat, sipping his tea.

It was a hot day in Greendale. Jess was sunning himself on the bonnet of Pat's van.

"Phew! Come on, Jess," said Pat. "We've got two bags of post to deliver!"

Postman Pat® at the Seaside

SIMON AND SCHUSTER